大家诗苑

词学通论
曲学通论

吴梅 著

北京出版集团公司
北 京 出 版 社

图书在版编目（CIP）数据

词学通论　曲学通论／吴梅著. —北京：北京出版社，2014.12

（大家诗苑）

ISBN 978-7-200-10982-5

Ⅰ. ①词… Ⅱ. ①吴… Ⅲ. ①词（文学）—诗词研究—中国②古代戏曲—文学研究—中国 Ⅳ. ①I207.23 ②I207.37

中国版本图书馆 CIP 数据核字(2014)第 241938 号

大家诗苑

词学通论　曲学通论

CIXUE TONGLUN　QUXUE TONGLUN

吴梅　著

*

北京出版集团公司
北　京　出　版　社　出版

（北京北三环中路6号）

邮政编码：100120

网　址：www.bph.com.cn

北京出版集团公司总发行

新　华　书　店　经　销

北京华联印刷有限公司印刷

*

880毫米×1230毫米　32开本　9.125印张　160千字

2014年12月第1版　2014年12月第1次印刷

ISBN 978-7-200-10982-5

定价：38.00元

质量监督电话：010-58572393

潘文龙导读

旧时月色，梅边吹笛

——怀想吴梅

谈起吴梅，有点像三十年前旧宣纸上的一大块墨痕，深刻、凝重却又陈旧。

研究者和学者知道他，景仰他，尊重他，称其为“曲学大师”，或者干脆叫他“曲学祭酒”。但是，毕竟大多数人不熟悉他，或者说遗忘了他，更谈不上了解。借用姜白石的几句词来描摹吴梅的一生，或许恰当：

旧时月色，算几番照我，梅边吹笛。唤起玉人，不管清寒与攀摘，何逊而今渐老，都忘却春风词笔。

忘却春风词笔，这不仅是吴梅的悲哀，也是昆曲的悲哀，更显示时光的薄情与无奈。我之所以对吴梅感兴趣，主要是他对戏曲传承的执著，对传统文化的坚持。这位集著曲、度曲、藏曲、唱曲、教曲于一身的大师，似乎就像二十世纪戏曲传播学界的最后一颗火星，闪烁、温暖，让人怀想。

1884年，吴梅出身于苏州破落仕宦之家，曾祖父吴钟骏是道光年间的状元。他三岁丧父，十岁失母。后过继给远方叔祖吴长祥为嗣孙。十二岁从潘少霞习举子业。十八岁以第一名补长州县学生员。后两度乡试，都名落孙山。光绪二十九年（1903），吴梅最后一次到南京参加乡试，因为试卷上一个“羽”字写得不清楚，而被考官斥责，无缘金榜。此后科举日落，他赴上海东文学社学日文，二十四岁到东吴大学堂任教。两年后，应柳亚子之约，加入文学团体神交社，1912年加入南社。

吴家祖宅本在滚绣坊，因为太平军侵占苏州而化为灰烬。后来全家在葑门西街多贵桥赁居四十多年。当时，吴梅在东吴大学堂（今苏州大学）担任教习，月薪省俭，加上历年积余，在蒲林巷内买了不足一亩的宅基地，1911年10月11日，吴梅一家喜迁新居。《霜崖诗录》中有《迁居蒲林巷》二首，诗中说：“儒有一亩宫，此外何它求。”文人手中摇着毛锥子，能有间自己的书斋，能为家人遮蔽风雨，十分满足了。吴梅如此，周瘦鹃如是，郁达夫更是如此。

后来，吴梅的四个儿子相继结婚，房子日显狭小。1929年，吴梅又把教余积攒拿出来，把原来部分房子扒掉，扩建成两层五间楼房。这所住宅，至今犹存，就是昆曲界都熟知的蒲林巷35号的吴梅故居。此房坐北朝南，有门屋一间，入门折西为三间楼厅与东西厢楼组成的三合院。厅旁有一小门，可导至东首大名鼎鼎的书楼“奢摩他室”，室宽仅一间，前后为天井，专藏一般书籍。后来吴梅把所藏的珍罕曲本校勘整理辑成《奢摩他室曲丛》初、二集，即以此室命名，“奢摩他”是教用语，禅定的意思，也有止息一切杂念之意。北有堂楼与楼厅前后隔院相对，楼下外设雀宿檐，内置一枝香鹤颈轩。楼上东部为书房“百嘉室”，专门收藏罕见的善本精本戏曲著作。此楼前以花岗石板铺地，还凿有水井两口。院南辟石库门通楼厅，上砌砖额镌刻“乐居安天”四字，根据上下款为清宣统元年（1909）吴梅自题。堂楼后，天井中一排平屋为厨房，由此可出后门至双林巷，门东西两侧墙角砌有“吴宅”界石。解放后，此宅前部略有变动，后部尚称完整，堂楼上下海棠格长短花窗犹存，现共有住户十多家，散成民居。

就在这所老屋的书房内，吴梅开始他的藏曲生涯。他自十几岁就耽于搜求戏曲典籍，能买则买，能借抄的借抄，积三十年之艰辛，收藏曲籍五六千种，计两万多册，所谓“架上日丰，箧中日啬”。他所藏的戏曲古籍大都是精本、善本、孤本。其中明嘉靖本即有百余种。有人说吴梅的藏曲是继清代毛氏汲古阁后的私人藏曲大家。

后因战事，使《奢摩他室曲丛》出版中断，传世仅得其半，仍大受好评。上海“一·二八”事变，商务印书馆收藏善本书的涵芬楼被日寇炮火炸毁，《奢摩他室曲丛》的部分珍贵底本被焚，另一本专著《辽金文学史》也遭劫难。数十年收藏心血毁于一旦，吴梅痛心疾首。他在《瞿安日记》上记道：“二十年奔走南北，仅此数卷破书，苟付劫灰，吾心亦灰矣！”

后来他又在一本书的序言里提及此事，感慨地说：“曲也者，不详之物也”，“曲益工，则天之忌也益甚。忌之甚，则扑灭之唯恐不尽……”

对一个藏书者来说，能道出这样迷信的痛语，可见爱元曲之入骨。

有人把吴梅和王国维并称二十世纪中国的曲学双璧。从个人学术的宽度上，吴梅或许不及王国维，但是从对元曲的专研深度和传承上，吴梅对元曲的贡献可能更大些。

吴梅研究专家王卫民先生说，在戏曲理论研究方面，吴梅既研究曲律，也研究曲史，还校勘不少曲本，写了不少曲论，其中尤以曲律研究成就最为突出。这也是后来被人称为曲学大师、曲学祭酒的主要原因。吴梅的曲律研究是古代制曲、谱曲、度曲理论的集大成，也是自身实践的经验总结。此间，他留下了代表性著作《顾曲麈谈》《曲学通论》和《南北词简谱》等。吴梅提出的五音八声尤其值得注意：他把中国古代的五音宫商角徵羽，分别用人口五个部位发音，即喉腭舌齿唇，非常有见解，又把平上去入分阴阳形成八声的具体唱法通过实践描述出来，更为曲子的传唱指明了道路。

即使是研究曲史的《中国戏曲史》，吴梅也在王国维《宋元戏曲史》的基础上更上一层楼，完成了中国首部戏曲通史的开创工作。它的贡献在于，吴梅既重视宋元戏曲，也认识到明清杂剧的意义，把他们并列的研究，不偏不倚。

“操千曲而后晓声，观千剑而后识器。”吴梅曲剧研究的独到成就，大大得益于他能自度曲，会演唱。吴梅一生除读书授徒外无他爱好，唯有唱曲。他经常长笛一根，步入讲堂。他课上唱，课下也唱。喜悦时唱，抑郁时更唱。在曲会上唱，回家时也唱。他随身携带的竹笛，也因使用频繁，被磨得铮光发亮。

据郑振铎回忆，二十多年前，他还不认识吴梅。有一次，他在苏州和几位朋友乘船游天平山，前面河道里有一只船，在缓缓地荡着。有一个人合着笛声在唱曲，声音高亢而圆润。郑振铎和朋友说，苏州真是风雅的地方啊。朋友说，是瞿安先生在那艘船上呢。郑振铎问，刚才是他在唱吗？朋友说是的。郑振铎真想追上去，但是因为乘的船也是缓缓地荡着，所以听了一路的曲子也没有追上。所以，他很遗憾和吴梅没有机会谋面。

吴梅自述其学术渊源，说自己："游艺四方，诗得散原老人，词得疆村遗民，曲得粟庐先生。"散原是陈散原，疆村遗民指朱祖谋，而粟庐指当年往来苏沪在拙政园唱曲的俞振飞先生之父。吴梅先生的创作，分别有《霜崖诗录》《霜崖词录》《霜崖曲录》。有研究者统计，吴梅一生共创作了十四个剧本。他在十九岁出头就创作了第一个剧本，是描写戊戌变法六君子的，名叫《血花飞》。当时是 1903 年，嗣祖父害怕招灾惹祸，就在夜里悄悄烧了，所以没有流传下来。

目　录

词学通论

曲学通论

词学通论

第一章　绪论

词之为学，意内言外，发始于唐，滋衍于五代，而造极于两宋，调有定格，字有定音，实为乐府之遗，故曰诗余。惟齐梁以来，乐府之音节已亡，而一时君臣，尤喜别翻新调，如梁武帝之《江南弄》，陈后主之《玉树后庭花》，沈约之《六忆诗》，已为此事之滥觞。唐人以诗为乐，七言律绝，皆付乐章，至玄、肃之间，词体始定，李白〔忆秦娥〕，张志和〔渔歌子〕，其最著也。或谓词破五七言绝句为之，如〔菩萨蛮〕是。又谓词之〔瑞鹧鸪〕即七律体，〔玉楼春〕即七古体，〔杨柳枝〕即七绝体，欲实诗余之名，殊非确论。盖开元全盛之时，即词学权舆之日，“旗亭画壁”，本属歌诗，“陵阙西风”，亦承乐府，强分后先，终归臆断。自是以后，香山、梦得、仲初、幼公之伦，竞相藻饰。“调笑转应”之曲，“江南春去”之词，上拟清商，亦无多让。及飞卿出而词格始成，《握兰》《金荃》，远接骚辨，变南朝之宫体，扬北部之新声。于是皇甫松、郑梦复、司空图、韩偓、张曙之徒，一时云起，“杨柳”“大堤”之句，“芙蓉”“曲渚”之篇，自出机杼，彬彬称盛矣。

作词之难，在上不似诗，下不类曲，不淄不磷，立于二者之间。要须辨其气韵。大抵空疏者作词易近于曲，博雅者填词不离乎诗，浅者深之，高者下之，处于才不才之间，斯词之三昧得矣。惟词中各牌，有与诗无异者，如〔生查子〕，何殊于五绝？〔小秦王〕〔八拍蛮〕〔阿那曲〕，何殊于七绝？此等词颇难著笔，又须多读古人旧作，得其气味，去诗中习见辞语，便可避去。至于南北曲，与词格不甚相远，而欲求别于曲，亦较诗为难。但曲之长处在雅俗互陈，又熟谙元人方言，不必以藻缋为能也。词则曲中俗字，如“你”“我”“这厢”“那厢”之类，固不可用，即衬贴字，如“虽则是”“却原来”等，亦当舍去。而最难之处，在上三下四对句，如史邦卿《春雨》词云“惊粉重蝶宿西园，喜泥润燕归南浦”，又“临断岸新绿生时，是落红带愁流处”，此词中妙语也。汤临川《还魂》云：“他还有念老夫诗句男儿，俺则有学母氏画眉娇女。又没乱里春情难遣，蓦忽地怀人幽怨。”亦曲中佳处，然不可入词。由是类推，可以隅反，不仅在词藻之雅俗而已。宋词中尽有俚鄙者，亟宜力避。

小令、中调、长调之目，始自《草堂诗余》，后人因之，顾亦略云尔。《词综》所云，“以臆见分之，后遂相沿，殊属牵强”者也。钱唐毛氏云：“五十八字以内为小令，五十九字至九十字为中调，九十一字以外为长调，古人定例也。”此亦就《草堂》所分而拘执之，所谓定例，有何所据？若以少一字为短，多一字为长，必无是理。如〔七娘子〕有五十八字者，有六十字者，将为小令乎，抑中调乎？如〔雪狮儿〕有八十九字者，有九十二字者，将为中调乎，抑长调乎？此皆妄为分析，无当于词学也。况《草堂》旧刻，止有分类，并无小令、中调、长调之名。至嘉靖间，上海顾从敬刻《类编草堂诗余》四卷，始有小令、中调、长调之目，是为别本之始。何良俊序称从敬家藏宋刻，较世所行本多七十余调，明系依托。自此本行而旧本遂微，于是小令、中调、长调之分，至牢不可破矣。

词中调同名异，如〔木兰花〕与〔玉楼春〕，唐人已有之。至宋人则多取词中辞语名篇，强标新目，如〔贺新郎〕为〔乳燕飞〕，〔念奴娇〕为〔酹江月〕，〔水龙吟〕为〔小楼连苑〕之类，此由文人好奇，争相巧饰，而于词之美恶无与焉。又有调异名同者，如〔长相思〕〔浣溪沙〕〔浪淘沙〕，皆有长调，此或清真提举大晟时所改易者，故周集中皆有之。此等词牌，作时须依四声，不可自改声韵，缘舍此以外，别无他词可证也。又如〔江月晃重山〕〔江城梅花引〕〔四犯剪梅花〕类，盖割裂牌名为之。此法南曲中最多，凡作此等曲，皆一时名手游戏及之，或取声律之美，或取节拍之和，如〔巫山十二峰〕〔九回肠〕之目，歌时最为耐听故也。词则万不能造新名，仅可墨守成格。何也？曲之板式，今尚完备，苟能遍歌旧曲，不难自集新声。词则拍节既亡，字谱零落，强分高下，等诸面墙，间释工尺，亦同向壁。集曲之法，首严腔格，亡佚若斯，万难整理，此其一也。六宫十一调，所隶诸曲，管色既明，部署亦审，各宫互犯，确有成法。词则分配宫调，颇有出入，管色高低，万难悬揣，而欲汇集美名，别创新格，即非惑世，亦类欺人，此其二也。至于明清作者，辄喜自度腔，几欲上追白石、梦窗，真是不知妄作。又如许宝善、谢淮辈，取古今名调，一一被诸管弦，以南北曲之音拍，强诬古人，更不可为典要，学者慎勿惑之。

沈伯时《乐府指迷》云："音律欲其协，不协则成长短之诗。下字欲其雅，不雅则近乎缠令之体。用字不可太露，露则直突而无深长之味。发意不可太高，高则狂怪而失柔婉之意。"此四语为词学之指南，各宜深思也。夫协律之道，今不可知，但据古人成作，而勿越其规范，则谱法虽逸，而字格尚存，揆诸按谱之方，亦云弗畔。若夫〔缠令〕之体，本于乐府《相和》之歌，沿至元初，其法已绝，惟董词所载，犹存此名。清代《大成谱》，备录董词，而于〔缠令〕格调，亦未深考，亡佚既久，可以不论。至用字发意，要归蕴藉，露则意不称辞，高则辞不达意，二者交讥，非作家之极轨也。故作词能以清真为归，斯用字发意，皆有法度矣。

咏物之作，最要在寄托。所谓寄托者，盖借物言志，以抒其忠爱绸缪之旨。《三百篇》之比兴，《离骚》之香草美人，皆此意也。沈伯时云："咏物须时时提调，觉不分晓，须用一两件事印证方可。如清真《咏梨花》〔水龙吟〕第三、第四句，须用‘樊川’‘灵关’事，又‘深闭门’及‘一枝带雨’事，觉后段太宽。又用‘玉容’事，方表得梨花。若全篇只说花之白，则是凡白花皆可用，如何见得是梨花?”（见《乐府指迷》）案伯时此说，仅就运典言之，尚非赋物之极则，且其弊必至探索隐僻，满纸谰言，岂词家之正法哉！惟有寄托，则辞无泛设，而作者之意，自见诸言外，朝市身世之荣枯，且于是乎觇之焉。如碧山《咏蝉》〔齐天乐〕，“宫魂”“余恨”，点出命意。“乍咽凉柯，还移暗叶”，慨播迁之苦。“西窗”三句，伤敌骑暂退，燕安如故。“镜暗妆残，为谁娇鬓尚如许”二语，言国土残破。而“修容饰貌，侧媚依然。衰世臣主，全无心肝”，千古一辙也。“铜仙”三句，言宗器重宝，均被迁夺，泽不下逮也。“病翼”二句，更痛哭流涕，大声疾呼，言海岛栖迟，断不能久也。“余音”三句，遗臣孤愤，哀怨难论也。“漫想”二句，责诸臣苟且偷安，视若全盛也。如此立意，词境方高。顾通首皆赋蝉，初未逸出题目范围，使直陈时政，又非词家口吻。其他赋白莲之〔水龙吟〕，赋绿阴之〔琐窗寒〕，皆有所托，非泛泛咏物也。会得此意，则绿芜台城之路，斜阳烟柳之思，感事措辞，自然超卓矣。（碧山此词，张皋文、周止庵辈，皆有论议。余本端木子畴说诠释之，较为确切。他如白石〔暗香〕〔疏影〕二首，亦寄时事，惟语意隐晦，仅“江国正寂寂。叹寄与路遥，夜雪初积”数语，略明显耳。故不具论。）

沈伯时云：“前辈好词甚多，往往不协律腔，所以无人唱和。秦楼、楚馆之词，多是教坊乐工及闹井做赚人所作，只缘音律不差，故多唱之，求其下语用字，全不可读，甚至咏月却说雨，咏春却说凉。”（《乐府指迷》）余案此论出于宋末，已有不协腔律之词，何况去伯时数百年，词学衰熄如今日乎？紫霞论词，颇严协律，然协律之法，初未明示也。近二十年中，如沤尹、夔笙辈，辄取宋人旧作，校定四声，通体不改易一音。如〔长亭怨〕依白石四声，〔瑞龙吟〕依清真四声，〔莺啼序〕依梦窗四声。盖声律之法无存，制谱之道难索，万不得已，宁守定宋词旧式，不致偭越规矩，顾其法益密，而其境益苦矣。（余案定四声之法，实始于蒋鹿潭。其《水云楼词》，如〔霓裳中序第一〕〔寿楼春〕等，皆谨守白石、梅溪定格，已开朱、况之先路矣。）余谓小词如〔点绛唇〕〔卜算子〕类，凡在六十字下者，四声尽可不拘。一则古人成作，彼此不符；二则南曲引子，多用小令，上去出入，亦可按歌，固无须斤斤于此。若夫长调，则宋时诸家，往往遵守，吾人操管，自当确从，虽难付管丝，而典型具在，亦告朔饩羊之意。由此言之，明人之自度腔，实不知妄作，吾更不屑辨焉。

杨守斋《作词五要》，第四云：“要随律押韵。如越调〔水龙吟〕、商调〔二郎神〕，皆用平入声韵。古词俱押去声，所以转折怪异，成不祥之音。昧律者反称赏之，真可解颐而启齿也。”守斋名缵，周草窗《蘋洲渔笛谱》中所称紫霞翁者即是。尝与草窗论五凡工尺义理之妙，未按管色，早知其误，草窗之词，皆就而订正之。玉田亦称其持律甚严，一字不苟作，观其所论可见矣。戈顺卿又从其言推广之，于学词者颇多获益。其言曰：“词之用韵，平仄两途。而有可以押平韵，又可以押仄韵者，正自不少其所谓仄，乃入声也。如越调又有〔霜天晓角〕〔庆春宫〕，商调又有〔忆秦娥〕，其余则双调之〔庆佳节〕，高平调之〔江城子〕，中吕宫之〔柳梢青〕，仙吕宫之〔望梅花〕〔声声慢〕，大石调之〔看花回〕〔两同心〕，小石调之〔南歌子〕，用仄韵者，皆宜入声。〔满江红〕有入南吕宫者，有仙吕宫者。入南吕宫者，即白石所改平韵之体，而要其本用入声，故可改也。外此又有用仄韵，而必须入声者，则如越调之〔丹凤吟〕〔大酺〕，越调犯正宫之〔兰陵王〕，商调之〔凤凰阁〕〔三部乐〕〔霓裳中序第一〕〔应天长慢〕〔西湖月〕〔解连环〕，黄钟宫之〔侍香金童〕〔曲江秋〕，黄钟商之〔琵琶仙〕，双调之〔雨霖铃〕，仙吕宫之〔好事近〕〔蕙兰芳引〕〔六幺令〕〔暗香〕〔疏影〕，仙吕犯商调之〔凄凉犯〕，正平调之〔淡黄柳〕，无射宫之〔惜红衣〕，中吕宫之〔尾犯〕，中吕商之〔白苧〕，夹钟羽之〔玉京秋〕，林钟商之〔一寸金〕，南吕商之〔浪淘沙慢〕，此皆宜用入声韵者，勿概之曰仄，而用上去也。其用上去之调，自是通协，而亦稍有差别。如黄钟商之〔秋宵吟〕，林钟商之〔清商怨〕，无射商之〔鱼游春水〕，宜单押上声。仙吕调之〔玉楼春〕，中吕调之〔菊花新〕，双调之〔翠楼吟〕，宜单押去声。复有一调中必须押上，必须押去之处，有起韵结韵，互皆押上，宜皆押去之处，不能一一胪列。”（《词林正韵·发凡》）顺卿此论，可云发前人所未发，应与紫霞翁之言相发明。作者细加考核，随律押韵，更随调择韵，则无转折怪异之病矣。

择题最难。作者当先作词，然后作题，除咏物、赠送、登览外，必须一一细讨，而以妍雅出之，又不可用四六语（间用偶语亦不妨）。要字字秀冶，别具神韵方妙。至如有感、即事、漫兴、早春、初夏、新秋、初冬等类，皆选家改易旧题，别标一二字为识，非原本如是也。《草堂诗余》诸题，皆坊人改易，切不可从。学者作题，应从石帚、草窗。石帚题，如〔鹧鸪天〕“予与张平甫自南昌同游”云云，〔浣溪沙〕“予女须家沔之山阳”云云，〔霓裳中序第一〕“丙午岁留长沙”云云，〔庆宫春〕“绍熙辛亥除夕，予别石湖”云云，〔齐天乐〕“丙辰岁，与张功甫会饮张达可之堂”云云，〔一萼红〕“丙午人日，予客长沙别驾之观政堂”云云，〔念奴娇〕“予客武陵，湖北宪治在焉”云云；草窗题，如〔渡江云〕“丁卯岁末除三日”云云，〔采绿吟〕“甲子夏，霞翁会吟社诸友”云云，〔曲游春〕“禁烟湖上薄游”云云，〔长亭怨〕“岁丙午丁未，先君子监州太末”云云，〔瑞鹤仙〕“寄闲结吟台”云云，〔齐天乐〕“丁卯七月既望”云云，〔乳燕飞〕“辛未首夏以书舫载客”云云，叙事写景，俱极生动，而语语研炼，如读《水经注》，如读“柳州游记”，方是妙题，且又得词中之意。抚时感事，如与古人晤对（清真、梦窗词题至简，平生事实，无从讨索，亦词家憾事），而平生行谊，即可由此考见焉。若通本皆书感、漫兴，成何题目？

意之曲者词贵直，事之顺者语宜逆，此词家一定之理。千古佳词，要在使人可解。尝有意极精深，词涉隐晦，翻绎数过，而不得其意之所在者，此等词在作者固有深意，然不能日叩玄亭，问此盈篇奇字也。近人喜学梦窗，往往不得其精，而语意反觉晦涩。此病甚多，学者宜留意。

第二章　论平仄四声

平仄一道，童孺亦知之，惟四声略难，阴阳声则尤难耳。词之为道，本合长短句而成，一切平仄，宜各依本调成式。五季两宋，创造各调，定具深心。盖宫调管色之高下，虽立定程，而字音之开齐撮合，别有妙用。倘宜平而仄，或宜仄而平，非特不协于歌喉，抑且不成为句读。昔人制腔造谱，八音克谐，今虽音理失传，而字格具在。学者但宜依仿旧作，字字恪遵，庶不失此中矩矱。凡古人成作，读之格格不上口，拗涩不顺者，皆音律最妙处。张綖《诗余图谱》遇拗句即改为顺适，无怪为红友所讥也。拗调涩体，多见清真、梦窗、白石三家。清真词如〔瑞龙吟〕之“归骑晚，纤纤池塘飞雨”，〔忆旧游〕之“东风竟日吹露桃”，〔花犯〕之“今年对花太匆匆”；梦窗词如〔莺啼序〕之“快展旷眼，傍柳系马”，〔西子妆〕之“一箭流光，又趁寒食去”，〔霜花腴〕之“病怀强宽，更移画船”；白石词如〔满江红〕之“正一望千顷翠澜”，〔暗香〕之“江国正寂寂”，〔凄凉犯〕之“怕匆匆，不肯寄与误后约”，〔秋宵吟〕之“今夕何夕恨未了”，此等句法，平仄拗口，读且不顺，而欲出辞尔雅，本非易易，顾不得轻易改顺也。虽然，平仄之道，仅止两途，而仄有上、去、入三种，又不可遇仄而概以三声统填也。一调之中，可以统用者，十之六七，不可统用者，十之三四，须斟酌稳惬，方能下字无疵，于是四声之说起矣。盖一调有一调之风度声响，若上去互易，则调不振起，便有落腔之弊。黄九烟论曲，有“三仄应须分上去，两平还要辨阴阳”之句，填词何独不然？如〔齐天乐〕有四处必须用去上声，清真词“云窗静掩”“露萤清夜照书卷”“凭高眺远”“但愁斜照敛”是也。此四句中，如“静掩”“眺远”“照敛”，万不可用他声。故此词切忌用入韵，虽入可作上，究不相宜。又〔梦芙蓉〕亦有五处必须去上声。梦窗词“西风摇步绮”“应红绡翠冷，霜挽正慵起”“仙云深路杳，城影蘸流水”是也。“步绮”“翠冷”“正起”“路杳”“蘸水”，亦万不可用他声。此词亦忌入韵。又〔眉妩〕，亦有三处用去上声，白石词“信马青楼去”，“翠尊共款”“乱红万点”是也。中如“信马”“共款”“万点”，亦不可用他声。至如〔兰陵王〕之多仄声字，〔寿楼春〕之多平声字，又当一一遵守，不得混用上、去、入三声也。此法在词中虽至易晓，但所以必要遵守之理，实由发调。余尝作南曲〔集贤宾〕，据旧谱首句云：“西风桂子香正幽”，用平平去上平去平，历按各家传作，如《西楼》云“愁魔病鬼朝露捐”，《长生殿》云“秋空夜永碧汉清”，皆守则诚格式。因戏改四声作之云“烽烟古道人懒游”，此“懒”字必须落下，而此处却宜高揭，遂至字顿喉间，方知旧曲中如“博山云袅鸡舌焚，寻常杏花难上头”类，歌时转捩怪异，拗折嗓子也。因曲及词，其理本同。清词名家，惟陈实庵、沈闰生、蒋鹿潭能合四声，余皆不合律式。清初诸家，如陈迦陵、纳兰容若、曹溶辈，且不足以语此也。盖上声舒徐和软，其腔低，去声激厉劲远，其腔高，相配用之，方能抑扬有致。大抵两上两去，法所当避，阴阳间用，最易动听。试观方千里和清真词，于用字去上之间，一守成式，可知古人作词之严矣。万红友云：“名词转折跌荡处，多用去声。”此语深得倚声三昧。盖三仄之中，入可作平，上界平仄之间，去则独异，且其声由低而高，最宜缓唱，凡牌名中应用高音者，皆宜用此。如尧章〔扬州慢〕“过春风十里”“自胡马窥江去后”“渐黄昏，清角吹寒”，凡协韵后转折处皆用去声，此首最为明显。他如〔长亭怨慢〕“树若有情时”“望高城不见”“第一是早早归来”“算空有并刀”，〔淡黄柳〕之“看尽鹅黄嫩绿”“怕梨花落尽成秋色”，其领头处，无一不用去声者，无他，以发调故也。此意为昔人所未发，红友亦言之不详，因特著之。

入声之叶三声，《中原音韵》《菉斐轩词林韵释》即备列之矣。但入作三声，仅有七部，支微、鱼虞、皆来、萧豪、歌戈、家麻、尤侯诸部是也。然此是曲韵，于词微有不合。就词韵论，当分八部，以屋、沃、烛为一部，觉、药、铎为一部，质、栉、迄、昔、锡、职、德、缉为一部，术、物为一部，陌、麦为一部，没、曷、末为一部，月、黠、鎋、屑、薛、叶、帖为一部，合、盍、业、洽、狎、乏为一部。如此分合，较戈氏《词林正韵》为当矣。其派作三声处，仍据高安旧例，分隶前列七部之内，则入作三声，亦一览而知（详后《论韵》篇），此其大较也。惟古人用入声字，其叶韵处，固不外七部之例。如晏几道〔梁州令〕“莫唱阳关曲”，“曲”字作邱雨切，叶鱼虞韵。柳永〔女冠子〕“楼台悄似玉”，“玉”字作于句切，又〔黄莺儿〕“暖律潜催幽谷”，“谷”字作公五切，皆叶鱼虞韵。辛弃疾〔丑奴儿慢〕“过者一霎”，“霎”字作始鲊切，叶家麻韵。张炎〔西子妆慢〕“遥岑寸碧”，“碧”字作邦彼切，叶支微韵。又〔征招〕换头“京洛染淄尘”，“洛”字须韵，作郎到切，叶萧豪韵。此与曲韵无所分别。至如句中用入，派作三声处，则大有不同。大抵词中入声协入三声之理，与南曲略同，不能谨守菉斐所派三声之例。如欧词〔摸鱼子〕“恨人去寂寂，凤枕孤难宿”，“寂寂”叶精妻切。苏轼〔行香子〕“酒斟时须满十分”，周邦彦〔一寸金〕“便入渔钓乐”，“十”“入”二字叶绳知切。秦观〔望海潮〕“金谷俊游”，“谷”叶公五切。又〔金明池〕“才子倒玉山休诉”，“玉”叶语居切。姜夔〔暗香〕“旧时月色”，“月”叶胡靴切。诸如此类，不可尽数。而按诸菉斐旧律，或有未尽合者，此不得责订韵者之误，亦不可责填词者之非也。盖入声叶韵处，其派入三声，本有定法，某字作上，某字作平，某字作去，一定不易，仅宗高安、菉斐二家，亦可勿畔。至于句中入声字，严在代平，其作上去，本不多见。词家用仄声处，本合上、去、入三声言之，即使不作去上，直读本声，亦无大碍。故句中入字，叶作三声，实无定法，既可作平，亦可上去，但须辨其阴阳而已。如用“十”字，其在平声格，固必须协绳知切，读若池音；苟在仄声格，上则作去，可作本字入声读，亦无不可。所谓词中之仄，本上、去、入三声统用也。故学者遇入作三声时，宜注意作平之际者，即此故也。又词有必须用入之处，不得易用上去者，如〔法曲献仙音〕首二句“虚阁笼寒，小帘通月”，“阁”“月”宜入。〔凄凉犯〕首句“绿杨巷陌”，“绿”“陌”宜入。〔夜飞鹊〕“斜月远堕余辉，兔葵燕麦”，“月”“麦”宜入。〔霜叶飞〕换头“断阕经岁慵赋”，〔瑞龙吟〕“愔愔坊陌人家”“侵晨浅约宫黄”“吟笺赋笔”，“陌”、“约”、“笔”宜入。〔忆旧游〕末句“千山未必无杜鹃”，“必”字宜入。词中类此颇多，盖入声字重浊而断，词中与上去间用，有止如槁木之致。今南曲中遇入声字，皆重读而作断腔，最为美听。以词例曲，理本相同，虽谱法亡逸，而程式尚存，故当断断谨守之也。戈氏词韵，于入声字分为五部，虽失之太宽，而分派三声，仍分列各部之下，眉目既晰，而所分平、上、去三声，亦按图可索，学者称便利。且派作三声者，皆有切音，使人知有限度，不能滥施自便，尤有功于词学，非浅鲜矣。

第三章　论韵

词之有韵，所以谐节奏，调起毕也。是以多取同音，弗畔宫律，吐字开闭，畛域綦严。古昔作者，严于律度，寻声按谱，不逾刌刌。其时词韵，初无专书，而操觚者出入阴阳，动中窍奥，盖深知韵理，方诣此境，非可望诸后人也。韵书最初莫如朱希真作《应制词韵》十六条，其后张辑释之，冯取洽增之。至元陶宗仪，曾讥其混淆，欲为更定，而其书久佚，无从扬榷矣。绍兴间，刻《菉斐轩词林要韵》一册，樊榭曾见之。其论词绝句，有“欲呼南渡诸公起，韵本重雕菉斐轩”之句，后果为江都秦氏刻入《词学全书》中，即今通行之本。词韵之书，此为最古矣。惟近人皆疑此书为北曲而设，又有谓元明之季伪托者，今不备论。自是而沈谦之《词韵略》、赵钥之《词韵》、李渔之《词韵》、胡文焕之《文会堂词韵》、许昂霄之《词韵考略》、吴烺之《学宋斋词韵》，纯驳不一，殊难全璧。至戈载《词林正韵》出，作者始有所依据。虽其中牴牾之处，或未能免，而近世词家，皆奉为令典，信而不疑也。夫填词用韵，大抵平声独押，上去通押。故凡作词韵者，俱总合三声分部，而中又明分平仄。至于入声，无与平上去统押之理，故入声须另立部目，不得如曲韵之例，分配三声以外，不再专立韵目，如《中原音韵》《中州全韵》诸书也。

今先论诸韵。收声字音，不转收别韵，并不受别韵转收者，支时、家麻、歌罗是也。转收别韵，不受别韵转收者，皆来转齐微，萧豪转鱼模，幽尤转鱼模是也。不转收别韵，但受别韵转收者，齐微受皆来转，鱼模受萧豪转是也。收鼻音者，东同、江阳、庚亭三韵是也。收闭口音者，侵寻、监咸、纤廉三韵是也。收音时舌腭相抵，而略似鼻音，略似闭口者，真文、寒山、先田三韵是也。韵之与音，其关系如此。昔人谓皆来收齐微处，音如衣；萧豪收鱼模处，音如乌；东同收鼻音处，音如翁；江阳、庚亭二韵收鼻音处，又与东同小异，此说最精。惟所论不备，因详述如右。次论分韵标目。词韵与曲韵，须知有不同之处。曲中如寒山、桓欢分为两部，家麻、车遮亦分为二，词则通用，不相分别。且四声缺入声，而词则明明有必须用入之调。故曲韵不可用为词韵也。至标目，则参酌戈载《正韵》、沈谦《韵略》二书，并列其目。（韵目用《广韵》）

第一部：平一东　二冬　三钟

上一董　二肿

去一送　二宋　三用

第二部：平四江　十阳　十一唐

上三讲　二十六养　三十七荡

去四绛　四十一漾　四十二宕

第三部：平三支　六脂　七之　八微　十二齐

十五灰

上四纸　五旨　六止　七尾　十一荠

十四贿

去五寘　六至　七志　八未　十二霁

十三祭

十四太半　十八队　二十废

第四部：平九鱼　十虞　十一模

上八语　九噳　十姥

去九御　十遇　十一暮

第五部：平十三佳半　十四皆　十六咍

上十二蟹　十三骇　十五海

去十四太半　十五卦半　十六怪　十七夬

十九代

第六部：平十七真　十八谆　十九臻　二十文

二十一欣

二十三魂　二十四痕

上十六轸　十七准　十八吻　十九隐

二十一混

二十二很

去二十一震　二十二稕　二十三问

二十四焮

二十六慁　二十七恨

第七部：平二十二元　二十五寒　二十六桓

二十七删

二十八山　一先　二仙

上二十阮　二十三旱　二十四缓　二十五潸

二十六产　二十七铣　二十八狝

去二十五愿　二十八翰　二十九换　三十谏

三十一裥　三十二霰　三十三线

第八部：平三萧　四宵　五肴

上二十九篠　三十小　三十一巧　三十二皓

去三十四啸　三十五笑　三十六效

三十七号

第九部：平七歌　八戈

上三十三哿　三十四果

去三十八箇　三十九过

第十部：平十三佳半　九麻

上三十五马

去十五卦半　四十祃

第十一部：平十二庚　十三耕　十四清　十五青

十六蒸　十七登

上三十八梗　三十九耿　四十静

四十一迥

四十二拯　四十三等

去四十三映　四十四诤　四十五劲

四十六径

四十七证　四十八澄

第十二部：平十八尤　十九侯　二十幽

上四十四有　四十五厚　四十六黝

去四十九宥　五十候　五十一幼

第十三部：平二十一侵

上四十七寝

去五十二沁

第十四部：平二十二覃　二十三谈　二十四盐

二十五添

二十六咸　二十七衔　二十八严

二十九凡

上四十八感　四十九敢　五十琰

五十一忝

五十二俨　五十三豏　五十四槛

五十五范

去五十三勘　五十四阚　五十五艳

五十六㮇

五十七酽　五十八陷　五十九鉴　六十梵

第十五部：入一屋　二沃　三烛

第十六部：四觉　十八药　十九铎

第十七部：五质　七栉　九迄　二十二昔　二十三锡
　　二十四职　二十五德　二十六缉

第十八部：六术　八物

第十九部：二十陌　二十一麦

第二十部：十一没　十二曷　十三末

第二十一部：十月　十四黠　十五辖　十六屑　十七薛
　　二十九叶　三十帖

第二十二部：二十七合　二十八盍　三十一洽
　　三十二狎
　　三十三业　三十四乏

右韵二十二部，不守高安旧例，大抵仍用戈氏分部。而入声则分八部，盖术、物二韵，与平上去之鱼、模、语、麌等，未便与质栉等同列。陌、麦又隶属于皆来，没、曷、末亦属于歌罗，故陌、麦不能与昔、栉同叶，没、曷、末不能与黠、屑同叶。戈氏合之，未免过宽，余故重为订核焉。

夫词中叶韵，惟上去通用，平入二声，绝不相混。有必用平韵者，有必用入韵者，《菉斐》无入，故疑为曲韵。沈去矜、李笠翁辈，分列入韵，妄以乡音分析，尤为不经，且以二字标目，实袭曲韵之旧。夫曲韵之以二字标目，盖一阴一阳也。今沈韵中之屋、沃，李韵中之支、纸、寘，围、委、未，奇、起、气，此何理也？高安所列东、钟，支、思等目，后人且有议之者矣。今不用《广韵》旧目，任取韵中一二字标题，而又不尽合阴阳之理，好奇炫异，又何为也？当戈韵未出以前，词家奉为金科玉律者，莫如吴烺、程名世等所著之《学宋斋词韵》。是书以学宋为名，宜其是矣。乃所学者，皆宋人误处。真、谆、臻、文、欣、魂、痕、庚、耕、清、青、蒸、登、侵皆同用。元、寒、桓、删、山、先、仙、覃、谈、监、沾、严、咸、衔、凡又皆并用。入声则术、物入质、栉韵，合、盍、洽、乏入月、屑韵。此皆滥通无绪，不可为法。且字数太略，音切又无分合，半通之韵，则臆断之，去上两见之字，则偏收之。种种疏缪，不可殚述，贻误后学，莫此为甚，远不及戈韵多矣。余故仍守戈氏之例，而于入声则较严云。

韵有开口、闭口之分。第二部之江、阳，第七部之元、寒，此开口音也；第十三部之侵，第十四部之覃、谈，此闭口音也，最为显露，作者不致淆乱。所易混者，第六部之真、谆，第十一部之庚、耕，第十三部之侵，即宋词中亦有牵连混合者。张玉田《山中白云词》，至多此病。如〔琐窗寒〕之“乱雨敲春”，〔摸鱼子〕之“凭高露饮”，〔凤凰台上忆吹箫〕之“水国浮家”，〔满庭芳〕之“晴卷霜花”，〔忆旧游〕之“问蓬莱何处”，皆混合不分。于是学者谓名手如玉田，犹不龂龂于此，不妨通融统叶，以宽韵脚。不知此三韵本非窄韵，即就本韵选字，已有余裕，何必强学古人误处，且为之文过饰非也。即以诗论，此三韵亦无通押之理，何况拘守音律之长短句哉？其他第七部与

第十四部韵，词中亦有通假者，此皆不明开闭口之道，而复自以为是，避难就易也。韵学之弊有四：浅学之士，妄选韵书，重误古人，贻误来学，其弊一也；次则蹇于牙吻，囿于偏方，虽稍窥古法，而吐咳不明，音注之间，毫厘千里，其弊二也；又有妄作之徒，不知稽古，孟浪押韵，其弊三也；才劣而口给者，操觚之际，利趁口而畏引绳，故乐就三弊，且为之张帜，其弊四也。余故严别町畦，为学者导，能不越此韵式，庶可言词矣。

第四章　论音律

音者何？宫、商、角、徵、羽、变宫、变徵七音也。律者何？黄钟、大吕、太簇、夹钟、姑洗、中吕、蕤宾、林钟、夷则、南吕、无射、应钟之十二律也。以七音乘十二律，则得八十四音。此八十四音，不名曰音，别名曰宫调。何谓宫调？以宫音乘十二律，名曰宫，以商、角、徵、羽、变宫、变徵乘十二律，名曰调。故宫有十二，调有七十二。表如下：

（一）（十二宫表）	（正名）	（俗名）
宫乘黄钟	黄钟宫	正黄钟宫
宫乘大吕	大吕宫	高宫
宫乘太簇	太簇宫	中管高宫
宫乘夹钟	夹钟宫	中吕宫
宫乘姑洗	姑洗宫	中管中吕宫
宫乘中吕	中吕宫	道宫
宫乘蕤宾	蕤宾宫	中管道宫
宫乘林钟	林钟宫	南吕宫
宫乘夷则	夷则宫	仙吕宫

	宫乘南吕	南吕宫	中管仙吕宫
	宫乘无射	无射宫	黄钟宫
	宫乘应钟	应钟宫	中管黄钟宫
（二）	（十二商表）	（正名）	（俗名）
	商乘黄钟	黄钟商	大石调
	商乘大吕	大吕商	高大石调
	商乘太簇	太簇商	中管高大石调
	商乘夹钟	夹钟商	双调
	商乘姑洗	姑洗商	中管双调
	商乘中吕	中吕商	小石调
	商乘蕤宾	蕤宾商	中管小石调
	商乘林钟	林钟商	歇指调
	商乘夷则	夷则商	商调
	商乘南吕	南吕商	中管商调
	商乘无射	无射商	越调
	商乘应钟	应钟商	中管越调
（三）	（十二角表）	（正名）	（俗名）
	角乘黄钟	黄钟角	正黄钟宫角
	角乘大吕	大吕角	高宫角
	角乘太簇	太簇角	中管高宫角
	角乘夹钟	夹钟角	中吕正角
	角乘姑洗	姑洗角	中管中吕角
	角乘中吕	中吕角	道宫角

	角乘蕤宾	蕤宾角	中管道宫角
	角乘林钟	林钟角	南吕角
	角乘夷则	夷则角	仙吕角
	角乘南吕	南吕角	中管仙吕角
	角乘无射	无射角	黄钟角
	角乘应钟	应钟角	中管黄钟角
（四）	（十二变徵表）	（正名）	（俗名）
	变徵乘黄钟	黄钟变徵	正黄钟宫变徵
	变徵乘大吕	大吕变徵	高宫变徵
	变徵乘太簇	太簇变徵	中管高宫变徵
	变徵乘夹钟	夹钟变徵	中吕变徵
	变徵乘姑洗	姑洗变徵	中管中吕变徵
	变徵乘中吕	中吕变徵	道宫变徵
	变徵乘蕤宾	蕤宾变徵	中管道宫变徵
	变徵乘林钟	林钟变徵	南吕变徵
	变徵乘夷则	夷则变徵	仙吕变徵
	变徵乘南吕	南吕变徵	中管仙吕变徵
	变徵乘无射	无射变徵	黄钟变徵
	变徵乘应钟	应钟变徵	中管黄钟变徵
（五）	（十二徵表）	（正名）	（俗名）
	徵乘黄钟	黄钟徵	正黄钟宫正徵
	徵乘大吕	大吕徵	高宫正徵
	徵乘太簇	太簇徵	中管高宫正徵

	徵乘夹钟	夹钟徵	中吕正徵
	徵乘姑洗	姑洗徵	中管中吕正徵
	徵乘中吕	中吕徵	道宫正徵
	徵乘蕤宾	蕤宾徵	中管道宫正徵
	徵乘林钟	林钟徵	南吕正徵
	徵乘夷则	夷则徵	仙吕正徵
	徵乘南吕	南吕徵	中管仙吕正徵
	徵乘无射	无射徵	黄钟正徵
	徵乘应钟	应钟徵	中管黄钟正徵
（六）	（十二羽表）	（正名）	（俗名）
	羽乘黄钟	黄钟羽	般涉调
	羽乘大吕	大吕羽	高般涉调
	羽乘太簇	太簇羽	中管高般涉调
	羽乘夹钟	夹钟羽	中吕调
	羽乘姑洗	姑洗羽	中管中吕调
	羽乘中吕	中吕羽	正平调
	羽乘蕤宾	蕤宾羽	中管正平调
	羽乘林钟	林钟羽	高平调
	羽乘夷则	夷则羽	仙吕调
	羽乘南吕	南吕羽	中管仙吕调
	羽乘无射	无射羽	羽调
	羽乘应钟	应钟羽	中管羽调

（七）（十二变宫表）	（正名）	（俗名）
变宫乘黄钟	黄钟变宫	大石角
变宫乘大吕	大吕变宫	高大石角
变宫乘太簇	太簇变宫	中管高大石角
变宫乘夹钟	夹钟变宫	双角
变宫乘姑洗	姑洗变宫	中管双角
变宫乘中吕	中吕变宫	小石角
变宫乘蕤宾	蕤宾变宫	中管小石角
变宫乘林钟	林钟变宫	歇指角
变宫乘夷则	夷则变宫	商角
变宫乘南吕	南吕变宫	中管商角
变宫乘无射	无射变宫	越角
变宫乘应钟	应钟变宫	中管越角

右八十四宫调，第一表为宫，二、三、四、五、六、七表为调。此但论律之排列，未及音之高下分配也。各宫调各有管色，各宫调各有杀声。何谓管色？即今西乐中CDEFGAB七调，所以限定乐器用调之高下也。何为杀声？每牌必隶属一宫或一调，而此宫调之起声与结声，又各有一定，此一定之声，即所谓杀声也。即以黄钟宫论，黄钟管色用六字，黄钟宫之各牌起结声，为合字或六字。故黄钟宫下各牌如〔侍香金童〕〔传言玉女〕〔绛都春〕诸词，皆用六字管色，而以合字或六字为诸牌之起结声。八十四宫调，各有管色及杀声。因总列十二表如下：

（一）黄钟　管色用（合）或（六）

宫 …………………………… 正黄钟宫用（合）字杀
商 ……………………………… 大石调用（四）字杀
角 ………………………… 正黄钟宫角用（一）字杀
变徵 ……………………… 正黄钟宫变徵用（勾）字杀
徵 ………………………… 正黄钟宫正徵用（尺）字杀
羽 ……………………………… 般涉调用（工）字杀
变宫 ……………………………… 大石角用（凡）字杀

（二）大吕　管色用（下四）或（下五）

宫 ……………………………… 高宫用（下四）字杀
商 …………………………… 高大石调用（下一）字杀
角 ……………………………… 高宫角用（上）字杀
变徵 …………………………… 高宫变徵用（尺）字杀
徵 …………………………… 高宫正徵用（下工）字杀
羽 …………………………… 高般涉调用（下凡）字杀
变宫 …………………………… 高大石角用（合）字杀

（三）太簇　管色用（四）或（五）

宫 ……………………………… 中管高宫用（四）字杀
商 ………………………… 中管高大石调用（一）字杀
角 …………………………… 中管高宫角用（勾）字杀
变徵 ………………………… 中管高宫变徵用（下工）字杀
徵 ………………………… 中管高宫正徵用（工）字杀
羽 ………………………… 中管高般涉调用（凡）字杀
变宫 ………………………… 中管高大石角用（下四）字杀

（四）夹钟　管色用（下一）或（高五）

宫 ………………………… 中吕宫用（下一）字杀
商 ……………………………… 双调用（上）字杀
角 ………………………… 中吕正角用（尺）字杀
变徵 ……………………… 中吕变徵用（工）字杀
徵 ……………………… 中吕正徵用（下凡）字杀
羽 …………………………… 中吕调用（合）字杀
变宫 …………………………… 双角用（四）字杀

（五）姑洗　管色用（一）

宫 ……………………… 中管中吕宫用（一）字杀
商 ………………………… 中管双调用（勾）字杀
角 …………………… 中管中吕角用（下工）字杀
变徵 ……………… 中管中吕变徵用（下凡）字杀
徵 …………………… 中管仲吕正徵用（凡）字杀
羽 …………………… 中管中吕调用（下四）字杀
变宫 ………………… 中管双角用（下一）字杀

（六）中吕　管色用（上）

宫 ……………………………… 道宫用（上）字杀
商 …………………………… 小石调用（尺）字杀
角 …………………………… 道宫角用（工）字杀
变徵 ……………………… 道宫变徵用（凡）字杀
徵 ………………………… 道宫正徵用（合）字杀

羽 …………………………… 正平调用（四）字杀
变宫 ………………………… 小石角用（一）字杀

（七）蕤宾　管色用（勾）

宫 ………………………… 中管道宫用（勾）字杀
商 ……………………… 中管小石调用（下工）字杀
角 ……………………… 中管道宫角用（下凡）字杀
变徵 …………………… 中管道宫变徵用（合）字杀
徵 …………………… 中管道宫正徵用（下四）字杀
羽 ……………………… 中管正平调用（下一）字杀
变宫 ……………………… 中管小石角用（上）字杀

（八）林钟　管色用（尺）

宫 ……………………………… 南吕宫用（尺）字杀
商 ……………………………… 歇指调用（工）字杀
角 ……………………………… 南吕角用（凡）字杀
变徵 ……………………… 南吕变徵用（下四）字杀
徵 …………………………… 南吕正徵用（四）字杀
羽 ……………………………… 高平调用（一）字杀
变宫 …………………………… 歇指角用（勾）字杀

（九）夷则　管色用（下工）

宫 …………………………… 仙吕宫用（下工）字杀
商 ……………………………… 商调用（下凡）字杀
角 ……………………………… 仙吕角用（合）字杀
变徵 ………………………… 仙吕变徵用（四）字杀

徵 ………………………… 仙吕正徵用（下一）字杀
羽 ………………………………… 仙吕调用（上）字杀
变宫 ………………………………… 商角用（尺）字杀

（十）南吕　管色用（工）

宫 ………………………… 中管仙吕宫用（工）字杀
商 ……………………………… 中管商调用（凡）字杀
角 ……………………… 中管仙吕角用（下四）字杀
变徵 ………………… 中管仙吕变徵用（下一）字杀
徵 ……………………… 中管仙吕正徵用（一）字杀
羽 ………………………… 中管仙吕调用（勾）字杀
变宫 ……………………… 中管商角用（下工）字杀

（十一）无射　管色用（下凡）

宫 ……………………………… 黄钟宫用（下凡）字杀
商 ………………………………… 越调用（合）字杀
角 ……………………………… 黄钟角用（四）字杀
变徵 …………………………… 黄钟变徵用（一）字杀
徵 ……………………………… 黄钟正徵用（上）字杀
羽 ………………………………… 羽调用（尺）字杀
变宫 ……………………………… 越角用（工）字杀

（十二）应钟　管色用（凡）

宫 ………………………… 中管黄钟宫用（凡）字杀
商 ………………………… 中管越调用（下四）字杀
角 ……………………… 中管黄钟角用（下一）字杀

变徵 …………………… 中管黄钟变徵用（上）字杀
徵 ……………………… 中管黄钟正徵用（勾）字杀
羽 ………………………… 中管羽调用（下工）字杀
变宫 ……………………… 中管越角用（下凡）字杀

古雅	今俗	古俗
合	△	黄
下四	㋮	大
四	マ	太
下一	⊖	夾
一	一	姑
上	[illegible]	中
勾	乚	蕤
尺	人	林
下工	⑦	夷
工	7	南
下凡	⑪	無
凡	〢	應
六	久	清黄
下五	[illegible]	清大
五	ㄋ	清太
高五	ㄎ	清夾

右八十四宫调，管色、杀声，一一备列。但能知某牌之属何宫调，即可知某牌用何管色，用何起结，其事极简，而探索极易。然而明清以来，何以不明此理乎？曰：管色、杀声，诸谱字备载《词源》，而玉田所书诸谱，皆为宋代俗乐之字，年代久远，乐工不能识，文人能歌者少，且妄加考订，而其理愈晦。且书经数刻，歌谱各字，渐次失真，于是毫厘千里，不可究诘矣。因取古今雅俗乐府字，列一对照表，又以中西律音，作一对照表，再取白石旁谱，以证管色、杀声之理，则前十二表可豁然云。

右表即据《词源》排次，而旧刻多误。于夹钟本律，当以（下一）配之，《词源》讹作（一上）。下五为大吕清声，应加一○，五字为太簇清，不当加○，而《词源》互讹。高五即（ㄎ），当加小画，以别于五，而《词源》亦加以○，于是知音者皆怀疑矣。勾字音义，今人度曲，皆不能识。方成培《词麈》疑为高上，亦未合。独凌廷堪《燕乐考原》引韩邦奇之言，始发明勾即下尺之义，近人皆遵信之，而宋词谱无窒碍矣。（宋乐俗谱，低音加〇，高音加一，前代乐音皆低，故高音部字少见。）兹复列中西律音对照表于下：

中西律音对照表

中律名	黄钟	大吕	太簇	夹钟	姑洗	中吕	蕤宾	林钟	夷则	南吕	无射	应钟
西律名	G	#b CD	D	#b DE	E	F	#b FG	G	#b GA	A	#b AB	B
中音名	宫		商		角	变徵		徵		羽		变宫
普通音名	1		2		3	4		5		6		7
俗音名	上		尺		工	凡		六		五		乙

要知中西古今同此七音，是以理无二致，可以理测也。今再就白石旁谱，考其管色起结，即知《词源》列八十四调之理。今词谱虽亡，而慨想遗音，亦可略为推求焉。

白石自制曲〔扬州慢〕〔长亭怨慢〕二词，皆注中吕宫。按中吕宫管色用下一或高五，即今俗乐之一字调，或正工调也。起结两声，亦当用下一或高五。今〔扬州慢〕“少驻初程”“都在空城”“知为谁生”三句，末字旁谱皆作“ㄋ”，此盖“一”字之声，加上底拍耳。“初程”之“程”，为起声，“城”“生”二韵为结声，其理显然也。

〔长亭怨〕之“绿深门户”“青青如此”“离愁千缕”，虽底拍不尽同，而住声于“一”字则同也。〔暗香〕〔疏影〕二词，注仙吕宫，管色为工字，即今乐之小工词也。杀声亦作工字，起结二声，亦当用工字。白石二词中，“梅边吹笛”“香冷入瑶席”“几时见得”，旁谱于末字皆作“ㄋ”，此盖用工字结声而加拍也。按诸律度，无不吻合。〔疏影〕词亦同，惟“小窗横幅”，旁谱于“幅”字上作“ㄋ”，此盖形近之误。〔惜红衣〕为无射宫，俗名黄钟宫，管色用下凡，即今乐之凡字调也，起结声同。姜词“睡余无力”“西风消息”“三十六陂秋色”三韵，谱声“ㄋ”，此盖用凡字结声而加拍也。按诸律度，亦全吻合。其他各词，无一不同前义，是可知管色起结，各宫调自有一定，知音者无不遵守之。白石于新曲作谱，如此谨严，则旧调从可知矣。

两宋诸词宫调可考者，如清真、屯田，皆自注各牌之下，梦窗亦然。其谱固亡佚，而宫调格式仍在，就其起结声之高下，而分配平仄阴阳，便是合律之作。大抵声音之高下，以工字为标准。工字以上声为高音，工字以下声为低音。（此约略言之，勿过拘泥。）高者宜阴字，低者宜阳字，此大较也。惟八十四调中，非每调各有曲子，据《词源》所列，止七宫十二调有曲耳。七宫者，黄钟宫、仙吕宫、正宫、高宫、南吕宫、中吕宫、道宫也；十二调者，大石调、小石调、般涉调、歇指调、越调、仙吕调、中吕调、正平调、高平调、双调、黄钟羽调、商调也。盖八十四调者，音律之次第也；七宫十二调者，音律之应用也。此意不可不知。

第五章　作法

作词之法，论其间架构造，却不甚难，至于撷芳佩实，自成一家，则有非言语可以形容者。所谓能与人规矩，不能使人巧也。有一成不变之律，无一定不易之文。南宋时修内司所刊《乐府混成集》，巨帙百余，周草窗《齐东野语》称其古今歌词之谱，靡不备具，而有谱无词者，实居其半。当时词家，但就已定之谱，为之调高下，定句读，叶四声，而实之以俊语。故白石集中，自度腔皆有字谱，其他则否，非不知旧词之谱也。盖是时通行诸谱，完全无缺，作者按谱以下字，字范于音，音统于律，正不必琐琐缮录也（此意余别有考订，今省）。是以在宋时，多有谱而无词，至今则有词而无谱。惟无谱可稽，斯论律之书愈多矣，要皆扣槃扪烛也。余撰此篇，亦匠氏之规矩耳。律可合，而音不可求，余亦无如何焉。

（一）结构

词之为调，有六百六十余，其体则一千一百八十有奇。

学者就万氏《词律》按律谐声，不背古人之成法，亦可无误。惟律是成式，文无成式也，于是不得不论结构矣。全词共有几句，应将意思配置妥帖后，然后运笔。凡题意宽大，宜抒写胸襟者，当用长调。而长调中就以苏、辛雄放之作为宜。若题意纤仄，模山范水者，当用小令或中调。惟境有悲欢，词亦有哀乐。大抵商调、南吕诸词，皆近悲怨，正宫、高宫之词，皆宜雄大，越调冷隽，小石风流，各视题旨之若何，以为择调张本。若送别用〔南浦〕、祝嘏用〔寿楼春〕，皆毫厘千里之谬。（〔南浦〕系欢词，〔寿楼春〕为悼亡。）此择调之大略也。至每调谋篇之法，又各就词之长短以为衡。短令宜蕴藉含蓄，令人得言外之意，方为合格。如李后主词“别有一般滋味在心头”，不说出苦字；温飞卿词，“杨柳又如丝，驿桥春雨时”，不说出别字，皆是小令作法。长调则布置须周密，有先将题面说过，至下叠方发议论者，如王介甫〔桂枝香〕《金陵怀古》；有直赋一物，寄寓感喟者，如东坡〔水龙吟〕《杨花》。而凭高念旧，枨触无端，又复用意明晰、措词娴雅者，莫如草窗〔长亭怨〕《怀旧》。词云：

记千竹万荷深处。绿净池台，翠凉亭宇。醉墨题香，闲箫横玉尽吟趣。胜流星聚。知几诵燕台句。零落碧云空，叹转眼岁华如许。　凝伫。望涓涓一水，梦到隔花窗户。十年旧事，尽消得庾郎愁赋。燕楼鹤表半飘零，算惟有盟鸥堪语。谩倚遍河桥，一片凉云吹雨。

盖草窗之父，曾为衢州倅官，时刺史为杨泳斋（按即草窗之外舅），别驾为牟存斋，郡博士为洪恕斋，一时名流星聚。倅衙在龟阜，有堂曰“啸咏”，为琴尊觞咏之地。是时草窗尚少，及后数十年，再过是地，则水逝云飞，无人识令威矣。词中“千竹万荷”，指啸咏堂也；“醉墨题香”“胜流星聚”指一时裙屐也；“隔花窗户”“燕楼”“飘零”指目前景物也；“谩倚遍河桥”“凉云吹雨”是直抒葵麦之感矣。此等词结构布局，最是匀称，可以为法。（宋词佳构，浩如烟海，安得一一引入，仅举一例，以俟隅反。）

（二）字义

我国文字，往往有一字两三音，而解释殊者，词家当深明此义。如萧索之“索”，当叶速，索取之“索”，当叶啬。数日之“数”当叶素，烦数之“数”当叶朔。睡觉之“觉”当去声，知觉之“觉”当入声。其他专名如嫪毐、仆射、龟兹等，尤宜留意。作词者一或不慎，动辄得咎。词为声律之文，苟失黏错误，便无意致。草窗〔玉漏迟〕题《吴梦窗霜花腴词集》，首云“老来欢意少”，又云“与君共是承平年少”。两用“少”字，非复韵也。盖多少之“少”是上声，老少之“少”是去声，本系两字，尽可同叶。又如些字，一入麻韵，一入个韵，盖些儿之“些”为平，楚些之“些”为仄也。因略举数则：

屈信申　信义迅　造作早　造就糙　矛盾忍　甲盾遁　窒塞色

边塞赛　冯妇逢　冯河平　女红工　红紫洪　戕害祥　戕泂臧

诸如此类，不胜其多。学者平时诵习，一加考核，则音读既正，自无误用矣。

（三）句法

积字成句，叶以平仄，此填词者，尽人知之也。但句法之异，须在作者研讨。一调有一定之平仄，而句法亦有成规，若乱次以济，未有不舛谬者。今自一字句至七字句止，逐句核订如下：

（1）一字句。此种甚少，惟〔十六字令〕首句有之。其他皆用作领字，而实未断句者。（领不外正、甚、怎、奈、渐、又、料、怕、是、证、想等数字，用平声者不多。）

（2）二字句。此种大概用于换头首句，其声平仄者最多。又或用于句中暗韵处。用在换头者，如王沂孙〔无闷〕云“清致，悄无似”，周邦彦〔琐窗寒〕云“迟暮，嬉游处”，此用平仄者。又如东坡〔满庭芳〕“无何，何处是”，张炎〔渡江云〕“愁余，荒洲古溆”，此用平平者。用在暗韵者，如〔木兰花慢〕梦窗《寿秋壑》云“金狨，锦鞯赐马”，“兰宫，系书翠羽”，此用平平者。又如白石〔惜红衣〕云“故国，渺天北”，是用仄仄者。二字句法，不外此数例矣。

(3) 三字句。通常以仄平平为多，如〔多丽〕之“晚山青”是也。他如平平仄者，如〔万年欢〕之“仁恩被”、“封人祝”是。仄平仄者，如平〔满江红〕之“奠淮右”。平平平者，如〔寿楼春〕之“今无裳”皆是。若仄仄平、仄仄仄类，大半是领头句矣。

(4) 四字句。平平仄仄、仄仄平平，固四字句普通句法，无须征引古词。然如〔水龙吟〕末句，辛稼轩云“揾英雄泪”，苏东坡云“是离人泪”，是上一下三句法也。又如杨无咎〔曲江秋〕云“银汉坠怀，渐觉夜阑”，是平仄仄平也。

(5) 五字句。按此亦只有上二下三与上一下四两种。平平平仄仄、仄仄仄平平、仄仄平平仄、平平仄仄平，此四种皆上二下三句法也。若如〔燕归梁〕云“记一笑千金”，是上一下四也。惟〔寿楼春〕“裁春衫寻芳”用五平声字，则殊不多耳。

(6) 六字句。此有二种：一为普通用于双句对下；一为折腰句，如〔清平乐〕之下叠，〔风入松〕之末二句，则词中不经见者。平仄无定。

(7) 七字句。此亦有二种：一为上四下三，如诗一句者，如〔鹧鸪天〕“小窗愁黛淡秋山”，〔玉楼春〕“棹沉云去情千里”之类；一为上三下四者，若〔唐多令〕“燕辞归客尚淹留”，〔洞仙歌〕“金波淡玉绳低转”之类。平仄无定，作时须留意。

以上七格，词中句法略备矣。至八字句，如〔金缕曲〕“枉教人梦断瑶台月”；九字句，如〔江城子〕“锦帽貂裘，千骑卷平冈”类，实皆合“三五”“四五”成句耳。句至七字，诸体全矣。盖歌之节奏，全视句法之何若。今南曲板式，即为限定句法而设，故曰“乐句”。曲与词固是一例，词谱虽亡，而句法未改，守定成式，自无偭规越矩之诮。至就文律言之，则出句宜雅艳，忌枯瘁，宜芳润，不宜噍杀。意常，则造语贵新；语常，则倒换须奇。一调之中，句句琢炼，语语自然，积以成章，自无疵病矣。

（四）结声字

结声者，词中第一韵与两叠结韵处也。第一韵谓之起调，两结韵谓之毕曲。此三处下韵，其音须相等（说见前章）。近人作词，往往就古人成作，守定四声，通体不易一音，其用力良苦，然煞声字不合之弊，则无之也。此端昉于蒋鹿潭，近则朱、况，皆斤斤于此，一字不少假借，夔笙更欲调以清浊，分订八音，守律愈细，而填词如处桎梏，分毫不能自由矣。

（五）杂述

古今诗话，汗牛充栋，词话则颇罕。然如玉田《词源》、辅之《词旨》，宋元时已有专书。而周公谨《浩然斋雅谈》末卷，吴曾《能改斋漫录》十六、十七两卷，亦皆词话之类也。至清则如刘公勇之《七颂堂词绎》、王阮亭之《花草蒙拾》、邹程村之《远志斋词衷》等书，亦皆有价值者。（《古今词话》一书，散见《词综》，无单行者。）而周氏《词辨》，又有独到语，概足为学者取法也。

“词以自然为宗，但自然不从追琢中来，便率易无味。”此彭金粟语，最是中肯。又云：“用古人之事，则取其新僻，而去其陈因；用古人之语，则取其清隽，而去其平实；用古人之字，则取其轻丽，而去其浅俗。”近人好用僻典，颇觉晦涩，乃叹范赟之记《云仙》、陶谷之录《清异》，稍资谈柄，不是仙才。

吴子律云：“词患堆积，堆积近缛，缛则伤意。词忌雕琢，雕琢近涩，涩则伤气。”又云：“言情以雅为宗，语艳则意尚巧，意亵则语贵曲。”（按意亵亦是一病。）

学稼轩，要于豪迈中见精致。学梦窗，要于缜密中求清空。

咏物词须别有寄托，不可直赋。自诉飘零，如东坡之《咏雁》；独写哀怨，如白石之《咏蟋蟀》，斯最善矣。至如史邦卿之《咏燕》，刘龙洲之《咏指足》，纵工摹绘，已落言诠。今之作者，即欲为刘、史之隶吏，亦不可得也。彼演肤词，此征僻典，夸多竞富，味同嚼蜡。况词之体格，微与诗异乎？比如咏梅花者，累代不能得数语，而鄙者或百咏，或数十咏，徒使开府汗颜，逋仙冷齿耳。且竹垞咏猫，武曾咏笋，辄胪故实，亦载鄙谚，偶一为之，亦才人忍俊不禁之故技。究之《静志居》、《秋锦山房》之联踪两宋，弁冕一朝者，谓区区在此，谅亦不然，顾奈何以侔色揣声为能事乎？

第六章　概论一　唐五代

词者，诗之余也。诗莫古于《三百篇》，皆可以合乐。周衰，诗亡乐废，屈宋代兴，虽《九歌》侑乐，而已与诗异途矣。经秦之乱，古乐胥亡。汉武立乐府，作《郊祀》十九章，《铙歌》二十二章，历魏晋六朝，皆仍其节奏（其名历代不同，其歌法仍袭旧），于是诗与乐分矣。自魏武借乐府以写时事，《薤露歌》、《蒿里行》，皆为董卓之乱而作，与原义不同。陈思王植作《鞞舞》新歌五章，谓古曲谬误至多，异代之文，不必相袭，爰依前曲，别作新歌。此说一开，后人乃有依乐府之题，而直抒胸臆者，于是乐府之真又失矣。两晋以下，诸家所作，不尽仿古，一时君臣，尤喜别翻新调，而民间哀乐缠绵之情，托诸长谣短咏以自见者，亦往往而有。如东晋无名氏作《女儿子》、《休洗红》二曲，梁武帝之《江南弄》，沈约之《六忆诗》，其字句音节，率有定格，此即词之滥觞矣。盖诗亡而乐府兴，乐府亡而词作，变迁递接，皆出自然也。今自隋唐以迄五代，略为诠论如左。

第一　唐人词略

昔人论词，皆断自唐代。诚以唐代以前，如炀帝之“清夜游湖上”曲、侯夫人“看梅一点春”等，虽在李白、王维以前，而其词恐为后人伪托，不可据为典要，因亦以唐代为始。按赵璘《因话录》：唐初，柳范作江南〔折桂令〕，当在青莲〔忆秦娥〕〔菩萨蛮〕之前。而各家选本，皆未及之，其词盖久佚矣。皋文以青莲首列者，有深意焉。大抵初唐诸作，不过破五七言诗为之；中盛以后，词式始定；迨温庭筠出，而体格大备，此唐词之大概也。爰为论列之。

（一）李白　白，字太白，蜀人，或云山东人。供奉翰林。录〔忆秦娥〕一首：

> 箫声咽，秦娥梦断秦楼月。秦楼月，年年柳色，灞陵伤别。　　乐游原上清秋节，咸阳古道音尘绝。音尘绝，西风残照，汉家陵阙。

太白此词，实冠今古，决非后人可以伪托，非如〔菩萨蛮〕〔桂殿秋〕〔连理枝〕诸阕，读者尚有疑词也。盖自齐梁以来，陶弘景〔寒夜怨〕、陆琼〔饮酒乐〕、徐孝穆〔长相思〕等，虽具词体，而堂庑未大，至太白而繁情促节，长吟远慕，遂使前此诸家，悉归笼化，故论词不得不首太白也。刘融斋以〔菩萨蛮〕〔忆秦娥〕两首，足抵杜陵《秋兴》，想其情境，殆作于明皇西幸之后。此言前人所未发，因亟录之。（按太白前，不独柳范有〔折桂令〕一曲也。沈佺期有〔回波词〕，红友亦收入《词律》，实则六言诗耳。又明皇亦有〔好时光〕一首，见《尊前集》，亦系伪作。）

（二）张志和　志和，字子同，金华人。擢明经，肃宗命待诏翰林，坐贬，不复仕。自称烟波钓徒。录〔渔歌子〕一首：

> 西塞山前白鹭飞，桃花流水鳜鱼肥。青箬笠，绿蓑衣，斜风细雨不须归。

此词为七绝之变，第三句作六字折腰句。按志和所作，共五首，《词综》录其二，余三首见《尊前集》。唐人歌曲，皆五七言诗。此〔渔歌子〕既与七绝异，或就绝句变化歌之耳。因念〔清平调〕〔阳关曲〕，举世传唱，实皆是诗。〔清平调〕后人拟作者鲜，〔阳关曲〕则颇有慕效之者。如东坡〔小秦王〕词，四声皆依原作，盖音调存在，不妨被以新词也。至此词，音节或早失传，故东坡增句作〔浣溪沙〕，山谷增句作〔鹧鸪天〕，不得不就原词，以叶他调矣。

（三）韦应物　应物，京兆人。官左司郎中，历苏州刺史。录〔调笑〕一首：

胡马，胡马，远放燕支山下。跑沙跑雪独嘶，东望西望路迷。迷路，迷路，边草无穷日暮。

应物词见《尊前集》者共四首，〔调笑〕二，〔三台〕二也。唐人作〔调笑〕者至多，如戴叔伦之《边草词》、王建之《团扇词》，皆用此调。其后〔杨柳枝〕盛行，而此调鲜见。入宋以后，此调句法更变，专供大曲歌舞之用矣。(〔杨柳枝〕实即七绝耳。)

(四) 白居易　居易，字乐天，下邽人。贞元十四年进士，历官中书舍人，以刑部尚书致仕。有《长庆集》。录〔长相思〕一首：

汴水流，泗水流，流到瓜洲古渡头。吴山点点愁。
思悠悠，恨悠悠，恨到归时方始休，月明人倚楼。

公所作词至富，如〔杨柳枝〕〔竹枝〕〔花非花〕〔浪淘沙〕〔宴桃源〕等，皆流丽稳协。而〔一七令〕体，尤为古今创作，后人塔体诗，即依此作也。余细按诸作，惟〔宴桃源〕与〔长相思〕为纯粹词体，余若〔杨柳枝〕〔竹枝〕〔浪淘沙〕显为七言绝体，即〔花非花〕〔一七令〕亦长短句之诗，不得概目之为词也。〔宴桃源〕云："前度小花静院，不比寻常时见。见了又还休，愁却等闲分散。肠断，肠断，记取钗横鬓乱。”按格直是〔如梦令〕，昔人以后唐庄宗所作为创，不知已始于白傅矣。余此录概取唐人之确凿为词者，彼长短句之诗勿入焉。

（五）刘禹锡　禹锡，字梦得，中山人。贞元中进士，仕为太子宾客。会昌中，检校礼部尚书。录〔忆江南〕一首：

> 春去也，多谢洛城人。弱柳从风疑举袂，丛兰浥露似沾巾。独坐亦含颦。

《尊前集》录梦得作，有〔杨柳枝〕十二首、〔竹枝〕十首、〔纥那曲〕二首、〔忆江南〕一首、〔浪淘沙〕九首、〔潇湘神〕二首、〔抛球乐〕二首。中惟〔忆江南〕为词，〔潇湘神〕亦长短句诗耳。（词云：“斑竹枝，斑竹枝，泪痕点点寄相思。楚客欲听瑶瑟怨，潇湘深夜月明时。”与韩翃〔章台柳〕词，实是一格。韩词云：“章台柳，章台柳，昔日青青今在否？纵使长条似旧垂，也应攀折他人手。”所异者一平韵、一仄韵而已。）〔忆江南〕一调，据韩偓《海山记》，隋炀帝泛东湖，制湖上曲八阕，即为〔忆江南〕句调。后人遂谓隋时所作。不知湖上八曲，皆是双叠，而双叠之体，实始于宋。唐人诸作，无一非单调，岂有炀帝时，反有是格哉？故论此调创始，不若以白傅、梦得辈为妥云。

（六）温庭筠　本名岐，字飞卿，太原人。官方山尉。有《握兰》《金荃》等集。录〔更漏子〕一首：

玉炉香，红蜡泪，偏照画堂秋思。眉翠薄，鬓云残，夜长衾枕寒。　　梧桐树，三更雨，不道离情正苦。一叶叶，一声声，空阶滴到明。

唐至温飞卿，始专力于词。其词全祖风骚，不仅在瑰丽见长。陈亦峰曰："所谓沉郁者，意在笔先，神余言外，写怨夫思妇之怀，寓孽子孤臣之感，凡交情之冷淡，身世之飘零，皆可于一草一木发之。而发之又必若隐若现，欲露不露，反复缠绵，终不许一语道破，匪独体格之高，亦见性情之厚。"此数语惟飞卿足以当之。学词者从沉郁二字着力，则一切浮响肤词，自不绕其笔端，顾此非可旦夕期也。飞卿最著者，莫如〔菩萨蛮〕十四首。大中时，宣宗爱〔菩萨蛮〕，丞相令狐绹，乞其假手以进，戒令勿他泄，而遽言于人，由是疏之。今所传〔菩萨蛮〕诸作，固非一时一境所为，而自抒性灵，旨归忠爱，则无弗同焉。张皋文谓皆感士不遇之作，盖就其寄托深远者言之，即其直写景物，不事雕绘处，亦夐绝不可追及。如"花落子规啼，绿窗残梦迷"、"杨柳又如丝，驿桥烟雨时"、"鸾镜与花枝，此情谁得知"等语，皆含思凄婉，不必求工，已臻绝诣，岂独以瑰丽胜人哉？（《词苑丛谈》载宣宗时，宫嫔所歌

〔菩萨蛮〕一首，云在《花间集》外，其词殊鄙俚。如下半叠云："风流心上物，本为风流出。看取薄情人，罗衣无此痕。"决非飞卿手笔，故赵选不取。）至其所创各体，如〔归国遥〕〔定西番〕〔南歌子〕〔河渎神〕〔遐方怨〕〔诉衷情〕〔思帝乡〕〔河传〕〔蕃女怨〕〔荷叶杯〕等，虽亦就诗中变化而出，然参差缓急，首首有法度可循，与诗之句调，绝不相类，所谓解其声，故能制其调也。彭孙遹《词统源流》，以为词之长短错落，发源于《三百篇》。飞卿之词，极长短错落之致矣，而出辞都雅，尤有怨悱不乱之遗意。论词者必以温氏为大宗，而为万世不祧之俎豆也，宜哉！

（七）皇甫松　松，字子奇，湜之子。录〔摘得新〕一首：

> 酌一卮，须教玉笛吹。锦筵红蜡烛，莫来迟。繁红一夜经风雨，是空枝。

松为牛僧孺甥，以〔天仙子〕一词著名。词云："晴野鹭鹚飞一只，水荭花发秋江碧。刘郎此日别天仙，登绮席，泪珠滴。十二晚峰青历历。"黄花庵谓不若〔摘得新〕，为有达观之见。余因录此。元遗山云："皇甫松以〔竹枝〕〔采莲〕排调擅场，而才名远逊诸人。《花间集》所载，亦止小令短歌耳。"余谓唐词皆短歌，《花间》诸家，悉传小令，岂独子奇？遗山此言，未为确当。松词殊不多，《尊前集》有十首，如〔怨回纥〕〔竹枝〕〔抛球乐〕等阕，实皆五七言诗之变耳。

右唐词凡七家，要以温庭筠为山斗。他如李景伯、裴谈之〔回波乐〕，崔液之〔踏歌词〕，刘长卿、窦弘余之〔谪仙怨〕，概为五六言诗。杜甫、元结等所撰之新乐府，多至数十韵，自标新题，以咏时政，名曰乐府，实不可入词。无名氏诸作，如〔后庭宴〕之“千里故乡”，〔鱼游春水〕之“秦楼东风里”，虽证诸石刻，定为唐人所作，然〔鱼游春水〕为长调词，较杜牧之〔八六子〕字数更多，未免怀疑也。至若杨妃之〔阿那曲〕、柳姬之〔杨柳枝〕、刘采春之〔啰唝曲〕、杜秋娘之〔金缕曲〕、王丽真之〔字字双〕，更不能谓之为词，余故概行从略焉。

第二　五代十国人词略

陆放翁曰：“诗至晚唐五季，气格卑陋，千人一律，而长短句独精巧高丽，后世莫及，此事之不可晓者。”盖其时君唱于上，臣和于下，极声色之供奉，蔚文章之大观。风会所趋，朝野一致，虽在贤知，亦不能自外于习尚也。《花间》辑录，重在蜀人。（赵录共十八人，词五百首，而蜀人有十三家，如韦庄、薛昭蕴、牛峤、毛文锡、牛希济、欧阳炯、顾敻、魏承班、鹿虔扆、阎选、尹鹗、毛熙震、李珣等，皆蜀人也。）并世哲匠，颇多遗佚。后唐西蜀，不乏名言，李氏君臣，亦多奇制，而屏弃不存，一语未采，不得不谓蔽于耳目之近矣。夫五代之际，政令文物，殊无足观，惟兹长短之言，实为古今之冠。大抵意婉词直，首让韦庄；忠厚缠绵，惟有延巳。其余诸子，亦各自可传，虽境有哀乐，而辞无高下也。至若吴越王钱俶、闽后陈氏、蜀昭仪李氏、陶学士、郑秀才之伦，单词片语，不无可录，第才非专家，不妨从略焉。

（一）后唐庄宗　录〔阳台梦〕一首：

> 薄罗衫子金泥缝，困纤腰怯铢衣重。笑迎移步小兰丛，亸金翘玉凤。　　娇多情脉脉，羞把同心撚弄。楚天云雨却相和，又入阳台梦。

按庄宗词之可考者，有〔忆仙姿〕〔一叶落〕〔歌头〕及此首而已，皆见《尊前集》。〔忆仙姿〕即〔如梦令〕。〔一叶落〕为自度曲，此取末三字为调名，意境却甚似飞卿也。〔歌头〕一首，分咏四季，其语尘下，疑是伪作。庄宗好优美，或伶工进御之言，故词中止及四时花事耳。五季君主之能词者，尚有蜀后主王衍、后蜀后主孟昶，而〔醉妆〕〔甘州〕殊乏风致，“风殿水来”亦属赝作，余故阙之焉。

（二）南唐嗣主　录〔山花子〕一首：

菡萏香销翠叶残，西风愁起绿波间。还与韶光共憔悴，不堪看。　　细雨梦还鸡塞远，小楼吹彻玉笙寒。多少泪珠何限恨，倚阑干。

中宗诸作，自以〔山花子〕二首为最，盖赐乐部王感化者也。此词之佳，在于沉郁。夫菡萏销翠、愁起西风，与“韶光”无涉也，而在伤心人见之，则夏景繁盛，亦易摧残，与春光同此憔悴耳。故一则曰“不堪看”，一则曰“何限恨”。其顿挫空灵处，全在情景融洽，不事雕琢，凄然欲绝。至“细雨”“小楼”二语，为“西风愁起”之点染语，炼词虽工，非一篇中之至胜处，而世人竞赏此二语，亦可谓不善读者矣。余尝谓二主词，中主能哀而不伤，后主则近于伤矣，然其用赋体，不用比兴，后人亦无能学者也。此二主之异处也。

（三）南唐后主　录〔虞美人〕一首：

春花秋月何时了？往事知多少！小楼昨夜又东风，故国不堪回首月明中！　　雕阑玉砌应犹在，只是朱颜改。问君能有几多愁？恰似一江春水向东流！

前谓后主词用赋体，观此可信，顾不独此也。〔忆江南〕〔相见欢〕〔长相思〕（“一重山”一首）等，皆直抒胸臆，而复宛转缠绵者也。至〔浪淘沙〕之“无限江山”、〔破阵子〕之“泪对宫娥”，此景此情，安得不以眼泪洗面？东坡讥其不能痛哭九庙，以谢人民，此是宋人之论耳。余谓读后主词，当分为二类。〔喜迁莺〕〔阮郎归〕〔木兰花〕〔菩萨蛮〕（“花明月暗”一首）等，正当江南隆盛之际，虽寄情声色，而笔意自成馨逸，此为一类。至入宋后，诸作又别为一类（即前述〔忆江南〕〔相见欢〕等），其悲欢之情固不同，而自写襟抱，不事寄托，则一也。今人学之，无不拙劣矣。（“雕阑玉砌”云云，即〔浪淘沙〕“玉楼瑶殿”、“空照秦淮”之意也。）

（四）和凝　凝，字成绩。郓州人。唐举进士，官翰林学士。晋天福中，拜中书侍郎同平章事。入后汉，拜太子太傅，封鲁国公。有《红叶稿》。录〔喜迁莺〕一首：

> 晓月坠，宿烟披，银烛锦屏帷。建章钟动玉绳低，宫漏出花迟。　　春态浅，来双燕，红日渐长一线。严妆欲罢啭黄鹂，飞上万年枝。

成绩有“曲子相公”之名，而《红叶稿》已佚。《词综》所录，仅〔春光好〕〔采桑子〕〔河满子〕〔渔父〕四首，《尊前集》则〔江城子〕五首，〔麦秀两歧〕及此词而已，皆不如《花间集》之多也（《花间》录二十首）。余案成绩诸作，类摹写宫壶，不独此词“宫漏出花迟”也。（〔春光好〕之“蘋叶软”，〔薄命女〕之“天欲晓”皆是。）〔江城子〕五支，为言情者之祖，后人凭空结构，皆本此词。托美人以写情，指落花而自喻，古人固有之，亦未可轻议也。

（五）韦庄　庄，字端己，杜陵人。乾宁元年进士。入蜀，王建辟掌书记，寻召为起居舍人。建表留之，后官至散骑常侍，判中书门下事。有《浣花集》。录〔归国遥〕一首：

金翡翠，为我南飞传我意。罨画桥边春水，几年花下醉。别后只知相愧，泪珠难远寄。罗幕绣帏鸳被，旧欢如梦里。

端己〔菩萨蛮〕四章，惓惓故国之思，最耐寻味。而此词南飞传意，别后知愧，其意更为明显。陈亦峰论其词，谓似直而纡，似达而郁。洵然。虽一变飞卿面目，而绮罗香泽之中，别具疏爽之致。世以温、韦并论，当亦难于轩轾也。〔菩萨蛮〕云：“未老莫还乡，还乡须断肠。”又云：“凝恨对斜晖，忆君君不知。”〔应天长〕云：“夜夜绿窗风雨，断肠君信否？”又云：“难相见，易相别，又是玉楼花似雪。”皆望蜀思君之辞。时中原鼎沸，欲归未能，言愁始愁，其情大可哀矣。

又按《花间集》共录十八家，自温庭筠、皇甫松外，凡十六家，为五季时人。而十六家中，除韦庄外，蜀人有十二人之多。今附列韦庄之下，以见蜀中文物之盛云。

（1）薛昭蕴 〔小重山〕云：“春到长门春草青。玉阶华露滴，月胧明。东风吹断紫箫声。宫漏促，帘外晓啼莺。

愁极梦难成。红妆流宿泪，不胜情。手挼裙带绕花行。思君切，罗幌暗尘生。”

（2）牛峤 〔江城子〕云：“鵁鶄飞起郡城东。碧江空，半滩风。越王宫殿，蘋叶藕花中。帘卷水楼鱼浪起，千片雪，雨濛濛。”

（3）毛文锡 〔虞美人〕云：“宝檀金缕鸳鸯枕，绶带盘宫锦。夕阳低映小窗明，南园绿树语莺莺，梦难成。

玉炉香暖频添炷，满地飘轻絮。珠帘不卷度沉烟，庭前闲立画秋千，艳阳天。”

（4）牛希济 〔谒金门〕云：“秋已暮，重叠关山歧路。嘶马摇鞭何处去？晓禽霜满树。　　梦断禁城钟鼓，泪滴枕檀无数。一点凝红和薄雾，翠蛾愁不语。”

（5）欧阳炯 〔凤楼春〕云：“凤髻绿云浓，深掩房栊，锦书通。梦中相见觉来慵，匀面泪，脸珠融。因想玉郎何处去，对淑景谁同？　　小楼中，春思无穷。倚阑凝望，暗牵愁绪，柳花飞趁东风。斜日照帘栊，（与前叠复）罗幌香冷粉屏空。海棠零落，莺语残红。”

（6）顾夐 〔浣溪沙〕云：“红藕香寒翠渚平，月笼虚阁夜蛩清，塞鸿惊梦两牵情。　　宝帐玉炉残麝冷，罗衣金缕暗尘生，小窗孤烛泪纵横。”

(7) 魏承班　〔谒金门〕云：“烟水阔，人值清明时节。雨细花零莺语切，愁肠千万结。　　雁去音徽断绝，有恨欲凭谁说？无事伤心犹不彻，春时容易别。”

(8) 鹿虔扆　〔临江仙〕云：“金锁重门荒苑静，绮窗愁对秋空。翠花一去寂无踪，玉楼歌吹，声断已随风。

烟月不知人事改，夜阑还照深宫。藕花相向野塘中，暗伤亡国，清露泣香红。”

(9) 阎选　〔定风波〕云：“江水沉沉帆影过，游鱼到晚透寒波。渡口双双飞白鸟。烟袅，芦花深处隐渔歌。

扁舟短棹归兰浦。人去，萧萧竹径透青莎。深夜无风新雨歇。凉月，露迎珠颗入圆荷。”

(10) 尹鹗　〔满宫花〕云：“月沉沉，人悄悄，一炷后庭香袅。风流帝子不归来，满地禁花慵扫。　　离恨多，相见少，何处醉迷三岛？漏清宫树子规啼，愁锁碧窗春晓。”

(11) 毛熙震　〔菩萨蛮〕云：“梨花满院飘香雪，高楼夜静风筝咽。斜月照帘帷，忆君和梦稀。　　小窗灯影背，燕语惊愁态。屏掩断香飞，行云山外归。”

(12) 李珣　〔定风波〕云：“帘外烟和月满庭，此时闲坐若为情。小阁拥炉残酒醒。愁听，寒风落叶一声声。

惟恨玉人芳信阻。云雨，屏帷寂寞梦难成。斗转更兰心杳杳。将晓，银釭斜照绮琴横。”

右十二家，皆见《花间集》。崇祚为蜀人，故所录多本国人诸作。词家选本，以此集为最古，其有不见此选者，亦无从搜讨矣。夫蜀自王建戊辰改元武成，至后主衍咸康己酉亡，历十有八年；后蜀自孟知祥甲午改元明德，至后主昶广政甲子亡，历三十年。此选成于广政三年，是时孟氏立国，仅有七载，故此集所采，大抵前蜀人为多，而韦庄、牛峤、毛文锡且为唐进士也。五季之际，如沸如羹，天宇崩颓，彝教凌废，深识之士，浮沉其间，惧忠言之触祸，托俳语以自晦。吾知十国遗黎，必多感叹悲伤之作，特甄录无人，乃至湮没。后人籀讽，独有赵录，遂谓声歌之制，独盛于蜀，滋可惜矣。今就此十二家言之，惟欧阳炯、顾夐、鹿虔扆为孟蜀显官，至阎选、李珣，亦布衣耳，其他皆王氏旧属。是以缘情托兴，万感横集，不独醉妆薄媚，沦落风尘，睿藻流传，足为词谶也。牛希济之“梦断禁城”，鹿虔扆之“露泣”“亡国”，言为心声，亦可得其大概矣。

（六）孙光宪　字孟文，陵州人。游荆南，高从晦署为从事，仕南平，累官检校秘书。曾劝高继冲献三州之地，宋太祖授以黄州刺史，将用为学士，未及而卒。有《荆台》《笔佣》《橘斋》《巩湖》诸集。录〔谒金门〕一首。

留不得，留得也应无益。白纻春衫如雪色，扬州初去日。　　轻别离，甘抛掷，江上满帆风疾。却羡彩鸳三十六，孤鸾还一只。

陈亦峰云："孟文词，气骨甚遒，措语亦多警炼。然不及温、韦处，亦在此，坐少闲婉之致。"余谓孟文之沉郁处，可与李后主并美，即如此词，已足见其不事侧媚，甘处穷寂矣。他如〔清平乐〕云："掩镜无语眉低，思随芳草凄凄。"是自抱灵修楚累遗意也。〔菩萨蛮〕云："碧烟轻袅袅，红战灯花笑。"盖讽弋取名利，憧憧往来者也。至闲婉之处，亦复尽多，如〔浣溪沙〕云："目送征鸿飞杳杳，思随流水去茫茫。兰红波碧忆潇湘。"又云："花冠闲上午墙啼。"〔思越人〕云："渚莲枯，宫树老，长洲废苑萧条。想像玉人空处所，月明独上溪桥。"此等俊逸语，亦孟文所独有。

（七）冯延巳　字正中。唐末，徙家新安。事南唐，官至左仆射，同平章事。有《阳春集》一卷。录〔菩萨蛮〕一首：

画堂昨夜西风过，绣帘时拂朱门锁。惊梦不成云，双蛾枕上颦。　　金炉烟袅袅，烛暗纱窗晓。残月尚弯环，玉筝和泪弹。

正中词缠绵忠厚，与温、韦相伯仲。其〔蝶恋花〕诸作，情词悱恻，可群可怨。张皋文云“忠爱缠绵，宛然骚辨之义”，余最爱诵之。如“日日花前常病酒，不辞镜里朱颜瘦”“泪眼倚楼频独语，双燕来时，陌上相逢否？”“浓睡觉来莺乱语，惊残好梦无寻处”，思深意苦，又复忠厚恻怛。词至此，则一切叫嚣纤冶之失，自无从犯其笔端矣。他如〔归国谣〕〔抛球乐〕〔采桑子〕〔菩萨蛮〕等，亦含思凄惋，蔼然动人，俨然温、韦之意也。其〔谒金门〕一首，当系成幼文作。《古今词话》曰：“幼文为大理卿，词曲妙绝，尝作〔谒金门〕曰：‘风乍起，吹皱一池春水。’为中主所闻，因按狱稽滞，召诘之。且谓曰：‘卿职在典刑，“一池春水”，干卿何事？’幼文顿首以谢。”《南唐书》以为冯词。陈振孙《书录解题》曰：“‘风乍起’词，世多言冯作，而《阳春录》无之，当是成作，不独‘庭院深深’一首，明是欧作，有李清照《漱玉词》可证也。”

又按南唐享国虽不久长，而文学之士，风发云举，极一时之盛。如张泌、成幼文、韩熙载、潘佑、徐铉兄弟、汤悦，俱有才名。即以词论，诸子皆有可观。而赵录于南唐诸人，自张泌外，概不置录，何也？因附见一二，如前韦端已条例。

（1）张泌　〔临江仙〕云：“烟收湘渚秋江静，蕉花露泣愁红。五云双鹤去无踪，几回魂断，凝望向长空。　翠竹暗留珠泪怨，闲调宝瑟波中。花鬟月鬓绿云重。古祠深殿，香冷雨和风。”

（2）成幼文　〔谒金门〕云：“风乍起，吹皱一池春水。闲引鸳鸯香径里，手挼红杏蕊。　斗鸭阑干遍倚，碧玉搔头斜坠。终日望君君不至，举头闻鹊喜。”

（3）徐昌图　〔临江仙〕云：“饮散离亭西去，浮生常恨飘蓬。回头烟柳渐重重。淡云孤雁远，寒日暮天红。　今夜画船何处？潮平淮月朦胧。酒醒人静奈愁浓。残灯孤枕梦，轻浪五更风。”

（4）潘佑　《题红罗亭梅花》残句云：“楼上春寒山四面，桃李不须夸烂熳，已失了东风一半。”

右四家，惟徐昌图一首，《词综》入宋词内，而成肇麟《唐五代词选》。则列入冯正中后，且徐籍莆田，是为南唐人无疑也。潘佑词不经见，此见罗大经《鹤林玉露》，惜全词佚矣。总之，五季时，词以西蜀南唐为最盛。而词之工拙，以韦庄为第一，冯延巳次之，最下为毛文锡。叶梦得尝谓：馆阁诸公评庸陋之词，必曰“此仿毛司徒”，是在宋时已有定论，今亦赖赵录而传，崇祚洵词苑功臣哉。至诸家情至文生，缠绵忠爱，不独为苏、黄、秦、柳之开山，即宣和、绍兴之盛，皆兆于此矣。

第七章　概论二　两宋

论词至赵宋，可云家怀隋珠，人抱和璧，盛极难继者矣。然合两宋计之，其源流递嬗，可得而言焉。大抵开国之初，沿五季之旧，才力所诣，组织较工，晏、欧为一大宗，二主一冯，实资取法，顾未能脱其范围也。汴京繁庶，竞赌新声，柳永失意无憀，专事绮语，张先流连歌酒，不乏艳辞，惟托体之高，柳不如张。盖子野为古今一大转移也。前此为晏、欧，为温、韦，体段虽具，声色未开；后此为苏、辛，为姜、张，发扬蹈厉，壁垒一变；而界乎其间者，独有子野，非如耆卿专工铺叙，以一二语见长也。迨苏轼则得其大，贺铸则取其精，秦观则极其秀，邦彦则集其成，此北宋词之大概也。南渡以还，作者愈盛，而抚时感事，动有微言。稼轩之“烟柳斜阳”，幸免种豆之祸；玉田之“贞芳清影”（〔清平乐〕《赋所南画兰》），独余故国之思。至若碧山咏物，梅溪题情，梦窗之“丰乐楼头”，草窗之“禁烟湖上”，词翰所寄，并有微意，又岂常人所易及哉！余故谓绍兴以来，声律之文，自以稼轩、白石、碧山为优，梅溪、梦窗则次之，玉田、草窗又次之，至竹屋、竹山辈，纯疵互见矣，此南宋词之大概也。夫倚声之道，独盛天水，文藻留传，矜式万世。余之论议，不事广征者，亦聊见渊源而已。兹更分述之。

第一　北宋人词略

言词者必曰：词至北宋而大，至南宋而精。然而南北之分，亦有难言者也。如周紫芝、王安中、向子湮、叶梦得辈，皆生于北宋，没于南宋，论者以周、王属北，向、叶属南者，只以得名之迟早而已。盖混而不分，又不能明流别，尚论者约略言之，作一界限，实无与于词体也。毛晋刻《六十一家词》，北宋凡十九家：晏殊、欧阳修、柳永、苏轼、黄庭坚、秦观、晏几道、晁补之、程垓、陈师道、李之仪、毛滂、杜安世、葛胜仲、周紫芝、谢逸、周邦彦、王安中、蔡伸是也。此外若潘阆《逍遥词》一卷、王安石《半山词》一卷、张先《子野词》一卷、贺铸《东山寓声乐府》三卷，皆有成书，而见于他刻也。余谓承十国之遗者为晏、欧，肇慢词之祖者为柳永，具温、韦之情者为张先，洗绮罗之习者为苏轼，得骚雅之意者为贺铸，开婉约之风者为秦观，集古今之成者为邦彦。此外或力非专诣，或才工片言，要非八家之敌也。因论列如左。

(1) 晏殊　字同叔，临川人。官至枢密使。有《珠玉词》一卷。录〔蝶恋花〕一首：

南雁依稀回侧阵，雪霁墙阴，偏觉兰芽嫩。中夜梦余消酒困，炉香卷穗灯生晕。　　急景流年都一瞬，往事前欢，未免萦方寸。腊后花期知渐近，寒梅已作东风信。

宋初如王禹偁、钱惟演辈，亦有小词。王之〔点绛唇〕、钱之〔玉楼春〕，虽有佳处，实非专家。故宋词应以元献为首。所作〔浣溪沙〕，有“无可奈何花落去，似曾相识燕归来”之语，为一时传诵，相传下语为王琪所对（见《后斋漫录》），无俟深考。即“重头歌韵响琤琮，入破舞腰红乱旋”，亦仅形容歌舞之胜，非词家之极则，总不及此词之俊逸也。宋初诸家，靡不祖述二主，宪章正中，同叔去五代未远，馨烈所扇，得之最先。刘攽《中山诗话》谓：元献喜冯延巳词，其所自作，亦不减延巳。此语亦是。第细读全词，颇有可议者，如〔浣溪沙〕之“淡淡梳妆薄薄衣，天仙模样好容仪”，〔诉衷情〕之“东城南陌花下，逢着意中人”，又“心心念念，说尽无凭，只是相思”诸语，庸劣可鄙，已开山谷、三变俳语之体，余甚无取也。惟“满目山河空念远，落花风雨更伤春”二语，较“无可奈何”，胜过十倍，而人未之知，可云陋矣。

（2）欧阳修　字永叔，庐陵人。官至兵部尚书。有《六一居士集》，词附。录〔踏莎行〕一首：

候馆梅残，溪桥柳细。草熏风暖摇征辔。离愁渐远渐无穷，迢迢不断如春水。　　寸寸柔肠，盈盈粉泪。楼高莫近危阑倚。平芜尽处是春山，行人更在春山外。

宋初大臣之为词者，寇莱公、宋景文、范蜀公与欧阳公，并有声艺苑。然数公或一时兴到之作，未为专诣。独元献与文忠，学之既至，为之亦勤，翔双鹄于交衢，驭二龙于天路。且文忠家庐陵，元献家临川，词之有西江派，转在诗先，亦云奇矣。公词纯疵参半，盖为他人窜易。蔡绦《西清诗话》云："欧词之浅近者，谓是刘辉伪作。"《名臣录》亦云："修知贡举，为下第举子刘辉等所忌，以〔醉蓬莱〕〔望江南〕诬之。"是读公词者，当别具会心也。至〔生查子〕《元夜灯市》，竟误载淑真词中，遂启升庵之妄论，此则深枉矣。余按公词以此为最婉转，以〔少年游〕《咏草》为最工切超脱，当亦百世之公论也。

(3) 柳永　字耆卿，初名三变，崇安人。官至屯田员外郎。有《乐章集》。录〔雨霖铃〕一首：

寒蝉凄切，对长亭晚，骤雨初歇。都门帐饮无绪，方留恋处，兰舟催发。执手相看泪眼，竟无语凝噎。念去去千里烟波，暮霭沉沉楚天阔。　　多情自古伤离别，更那堪冷落清秋节。今宵酒醒何处？杨柳岸晓风残月。此去经年，应是良辰好景虚设。便纵有千种风情，更与何人说！

《能改斋漫录》云：“仁宗留意儒雅，务本向道，深斥浮艳虚华之文。初，进士柳三变，好为淫冶讴歌之曲，传播四方，尝有〔鹤冲天〕词云：‘忍把浮名，换了浅斟低唱。’及临轩放榜，特落之曰：‘且去浅斟低唱，何要浮名！’景祐元年，方及第。后改名永，方得磨勘转官。”《后山诗话》云：“柳三变游东都南北二巷，作新乐府，骫骳从俗，天下咏之，遂传禁中。仁宗颇好其词，每对宴，必使侍从歌之再三。三变闻之，作宫词，号〔醉蓬莱〕，因内官达后宫，且求其助。仁宗闻而觉之，自是不复歌其词矣。”黄花庵云：“永为屯田员外郎，会太史奏老人星现，时秋霁，宴禁中，仁宗命左右词臣为乐章，内侍嘱柳应制。柳方冀进用，作此词进（指〔醉蓬莱〕词）。上见首有‘渐’字，色若不怿。读至‘宸游凤辇何处’，乃与御制真宗挽词暗合，上惨然。又读至‘太液波翻’，曰：‘何不言波澄？’投之于地。自此不复擢用。”《钱塘遗事》云：“孙何帅钱塘，柳耆卿作〔望海潮〕词赠之，有‘三秋桂子，十里荷香’之句。此词流播，金主亮闻之，欣然起投鞭渡江之志。”据此，则柳之侘傺无聊，与词名之远，概见一斑。余谓柳词仅工铺叙而已，每首中事实必清，点景必工，而又有一二警策语，为全词生色，其工处在此也。冯梦华谓其“曲处能直，密处能疏，奡处能平，状难状之景，达难达之情，而出之以自然，自是北宋巨手。然好为俳体，词多媟黩，有不仅如《提要》所云以俗为病者。”此言甚是。余谓柳词皆是直写，无比兴，亦无寄托，见眼中景色，即说意中人物，便觉直率无味，况时时有俚俗语。如〔昼夜乐〕云：“早知恁地难拚，悔不当初留住。其奈风流端正外，更别有系人心处。一日不思量，也攒眉千度。”〔梦还京〕云：“追悔当初，绣阁话别太容易。”〔鹤冲天〕云：“假使重相见，还得似当初么？悔恨无计，那迢迢长夜，自家只恁摧挫。”〔两同心〕云：“个人人昨夜分明，许伊偕老。”〔征部药〕云：“待这回好好怜伊，更不轻拆。”皆率笔无咀嚼处。诸如此类，不胜枚举，实不可学。且通本皆摹写艳情，追述别恨，见一斑已具全豹，正不必字字推敲也。惟北宋慢词，确创自耆卿，不得不推为大家耳。

（4）张先　字子野，吴兴人。为都官郎中。有《安陆集》。录〔卜算子慢〕一首：

> 溪山别意，烟树去程，日落采蘋春晚。欲上征鞍，更掩翠帘。回面相盼，惜弯弯浅黛长长眼。奈画阁欢游，也学狂花乱絮轻散。　　水影横池馆，对静夜无人，月高云远。一晌凝思，两眼泪痕还满。难遣恨，私书又逐东风断。纵梦泽层楼万尺，望湖城那见。

《古今诗话》云：“有客谓子野曰：‘人皆谓公张三中，即心中事，眼中泪，意中人也。’公曰：‘何不目之为张三影？’客不晓。公曰：‘“云破月来花弄影”，“娇柔懒起，帘压卷花影”，“柳径无人，堕飞絮无影”，此皆余平生所得意也。’”《石林诗话》云：“张先郎中，能为诗及乐府，至老不衰。居钱塘，苏子瞻作倅时，先年已八十余，视听尚精强，犹有声妓。子瞻尝赠以诗云：‘诗人老去莺莺在，公子归来燕燕忙。’盖全用张氏故事戏之。”是子野生平亦可概见矣。今所传《安陆集》，凡诗八首，词六十八首。诗不论。词则最著者，为〔一丛花〕，为〔定风波〕，为〔玉楼春〕，为〔天仙子〕，为〔碧牡丹〕，为〔谢池春〕，为〔青门引〕。余谓子野词气度宛似美成，如〔木兰花慢〕云：“行云去后遥山暝，已放笙歌池院静。中庭月色正清明，无数杨花过无影。”〔山亭宴〕云：“落花荡漾怨空树，晓山静，数声杜宇。天意送芳菲，正黯淡疏烟短雨。”〔渔家傲〕云：“天外吴门清霅路，君家正在吴门住。赠我柳枝情几许。春满缕，为君将入江南去。”此等词意，同时鲜有及者也。盖子野上结晏、欧之局，下开苏、秦之先，在北宋诸家中适得其平。有含蓄处，亦有发越处，但含蓄不似温、韦，发越亦不似豪苏、腻柳。规模既正，气格亦古，非诸家能及也。晁无咎曰：“子野与耆卿齐名，而时以子野不及耆卿，然子野韵高，是耆卿所乏处。”余谓子野若仿耆卿，则随笔可成珠玉；耆卿若效子野，则出语终难安雅。不独泾渭之分，抑且有雅郑之别，世有识者，当不河汉。

（5）苏轼　字子瞻，眉山人。嘉祐初，试礼部第一，历官翰林学士。绍圣初，安置惠州，徙昌化。元符初，北还，卒于常州。高宗朝，谥文忠。有《东坡居士词》二卷。录〔水龙吟〕一首赋杨花：

> 似花还似非花，也无人惜从教坠。抛家傍路，思量却是，无情有思。萦损柔肠，困酣娇眼，欲开还闭。梦随风万里，寻郎去处，又还被莺呼起。　不恨此花飞尽，恨西园落红难缀。晓来雨过，遗踪何在，一池萍碎。春色三分，二分尘土，一分流水。细看来不是杨花，点点是离人泪。

东坡词在宋时已议论不一。如晁无咎云：“居士词，人多谓不谐音律，然横放杰出，自是曲子内缚不住者。”陈无己云：“东坡以诗为词，如教坊雷大使之舞，虽极天下之工，要非本色。”陆务观云：“世言东坡不能词，故所作乐府，词多不协。晁以道谓绍圣初，与东坡别于汴下，东坡酒酣，自歌古《阳关》，则公非不能歌，但豪放不喜裁剪以就声律耳。”又云：“东坡词，歌之曲终，觉天风海雨逼人。”胡致堂云：“词曲至东坡，一洗绮罗香泽之态，摆脱绸缪宛转之度，使人登高望远，举首高歌，逸怀浩气，超乎尘垢之外，于是《花间》为皂隶，而耆卿为舆台矣。”张叔夏云：“东坡词清丽舒徐处，高出人表。周、秦诸人，所不能到。”此在当时毁誉已不定矣。至《四库提要》云：“词至晚唐五季以来，以清切婉丽为宗。至柳永而一变，如诗家之有白居易；至轼而又一变，如诗家之有韩愈，遂开南宋辛弃疾等一派。寻源溯流，不能不谓之别格，然谓之不工，则不可。”此为持平之论。余谓公词豪放缜密，两擅其长。世人第就豪放处论，遂有铁板铜琶之诮，不知公婉约处，何让温、韦！如〔浣溪沙〕云：“彩索身轻长趁燕，红窗睡重不闻莺。”〔祝英台〕云：“挂轻帆，飞急桨，还过钓台路。酒病无聊，欹枕听鸣橹。”〔永遇乐〕云：“天涯倦客，山中归路，望断故园心眼。燕子楼空，佳人何在？空锁楼中燕。”〔西江月〕云：“高情已逐晓云空，不与梨花同梦。”此等处，与“大江东去”“把酒问青天”诸作，如出两手，不独“乳燕飞华屋”“缺月挂疏桐”诸词，为别有寄托也。要之公天性豁达，襟抱开朗，虽境遇迍邅，而处之坦然，即去国离乡，初无羁客迁人之感，惟胸怀坦荡，词亦超凡入圣。后之学者，无公之胸襟，强为摹仿，多见其不知量耳。

（6）贺铸　铸，字方回，卫州人。孝惠皇后族孙。元祐中，通判泗州，又倅太平州。退居吴下，自号庆湖遗老。有《东山寓声乐府》。录〔柳色黄〕一首：

薄雨收寒，斜照弄晴，春意空阔。长亭柳蓓才黄，倚马何人先折？烟横水漫，映带几点归鸿，平沙销尽龙沙雪。犹记出关来，恰而今时节。　将发，画楼芳酒，红泪清歌，便成轻别。回首经年，杳杳音尘都绝。欲知方寸，共有几许新愁？芭蕉不展丁香结。憔悴一天涯，两厌厌风月。

张文潜云："方回乐府，妙绝一世，盛丽如游金、张之堂，妖冶如揽嫱、施之袪，幽索如屈、宋，悲壮如苏、李。"周少隐云："方回有'梅子黄时雨'之句，人谓之'贺梅子'。方回寡发，郭功父指其髻谓曰：'此真贺梅子也。'"陆务观云："方回状貌奇丑，俗谓之'贺鬼头'。其诗文皆高，不独长短句也。"据此，则方回大概可见矣。所著《东山寓声乐府》，宋刻本从未见过，今所据者，只王刻、毛刻、朱刻而已。所谓"寓声"者，盖用旧调谱词，即摘取本词中语，易以新名，后《东泽绮语债》略同此例。王半塘谓如平园近体、遗山新乐府类，殊不伦也。（词中〔清商怨〕名〔尔汝歌〕、〔思越人〕名〔半死桐〕、〔武陵春〕名〔花想容〕、〔南歌子〕名〔醉厌厌〕、〔一落索〕名〔窗下绣〕，皆就词句改易，如"如此江山""大江东去"等是也。）方回词最传述人口者，为〔薄倖〕〔青玉案〕〔望湘人〕〔踏莎行〕诸阕，固为杰出之作。他如〔踏莎行〕云："断无蜂蝶梦幽香，红衣脱尽芳心苦。"又云："当年不肯嫁东风，无端却被西风误。”〔下水船〕云：“灯火虹桥，难寻弄波微步。”〔诉衷情〕云：“秦山险，楚山苍，更斜阳。画桥流水，曾见扁舟，几度刘郎。”〔御街行〕云：“更逢何物可忘忧？为谢江南芳草。断桥孤驿，冷云黄叶，想见长安道。”诸作皆沉郁，而笔墨极飞舞，其气韵又在淮海之上，识者自能辨之。至〔行路难〕一首，颇似玉川长短句诗，诸家选本，概未之及。词云：“缚虎手，悬河口，车如鸡栖马如狗。白纶巾，扑黄尘，不知我辈、可是蓬蒿人。衰兰送客咸阳道，天若有情天亦老。作雷颠，不论钱，谁问旗亭、美酒斗十千。　　酌大斗，更为寿，青鬓常青古无有。笑嫣然，舞翩然，当垆秦女、十五语如弦。遗音能寄秋风曲，事去千年犹恨促。揽流光，系扶桑，争奈愁来、一日却为长。”与〔江南春〕七古体相似，为方回所独有也。要之骚情雅意，哀怨无端，盖得力于风雅，而出之以变化，故能具绮罗之丽，而复得山泽之清。（《别东山》词云：“双携纤手别烟萝，红粉清泉相照。”可云自道词品。）此境不可一蹴即几也。世人徒知“黄梅雨”佳，非真知方回者。

（7）秦观　观，字少游，高邮人。登第后，苏轼荐于朝，除太学博士，迁正字，兼国史院编修。坐党籍遣戍。有《淮海词》三卷。录〔踏莎行〕一首：

雾失楼台，月迷津渡，桃源望断无寻处。可堪孤馆闭春寒，杜鹃声里斜阳暮。　　驿寄梅花，鱼传尺素，砌成此恨无重数。郴江幸自绕郴山，为谁流下潇湘去。

晁无咎云：“近来作者，皆不及少游。如‘斜阳外，寒鸦数点，流水绕孤村’，虽不识字人，亦知是天生好言语。”蔡伯世云：“子瞻辞胜乎情，耆卿情胜乎辞，辞情相称者，惟少游而已。”张綖云：“少游多婉约，子瞻多豪放，当以婉约为主。”叶少蕴云：“少游乐府，语工而入律，知乐者谓之作家歌。子瞻戏之‘山抹微云秦学士，露花倒影柳屯田’，微以气格为病也。”诸家论断，大抵与子瞻并论，余谓二家不能相合也。子瞻胸襟大，故随笔所之，如怒澜飞空，不可狎视。少游格律细，故运思所及，如幽花媚春，自成馨逸。其〔满庭芳〕诸阕，大半被放后作，恋恋故国，不胜热中，其用心不逮东坡之忠厚，而寄情之远，措语之工，则各有千古。他作如〔望海潮〕云：“柳下桃蹊，乱分春色到人家。西园夜饮鸣笳。有华灯碍月，飞盖妨花。”〔水龙吟〕云：“花下重门，柳边深巷，不堪回首。”〔风流子〕云：“斜日半山，暝烟两岸，数声横笛，一叶扁舟。”〔鹊桥仙〕云：“两情若是久长时，又岂在朝朝暮暮。”〔千秋岁〕云：“春去也，飞红万点愁如海。”〔浣溪沙〕云：“自在飞花轻似梦，无边丝雨细如愁。”此等句皆思路沉着，极刻画之工，非如苏词之纵笔直书也。北宋词家以缜密之思，得遒炼之致者，惟方回与少游耳。今人以秦、柳并称，柳词何足相比哉！（《高斋诗话》云：“少游自会稽入都，见东坡。东坡曰：‘不意别后却学柳七作词。’少游曰：‘某虽无学，亦不如是。’东坡曰：‘“销魂当此际”，非柳七语乎？’”据此则少游雅不愿与柳齐名矣。）惟通观集中，亦有俚俗处。如〔望海潮〕云：“妾如飞絮，郎如流水，相沾便肯相随。”〔满园花〕云：“近日来、非常罗皂丑，佛也须眉皱，怎掩得旁人口。”〔迎春乐〕云：“怎得香香深处，作个蜂儿抱。”〔品令〕云：“幸自得一分索强，教人难吃。好好地恶了十来日，恰而今较些不。”又云：“帘儿下时把鞋儿踢，语低低，笑咭咭。”又云：“人前强不欲相沾识，把不定、脸儿赤。”竟如市井荒伧之言，不过应坊曲之请求，留此恶札。词家如此，最是魔道，不得以宋人之作，为之文饰也。但全集止此三四首，尚不足为盛名之累。

（8）周邦彦　字美成，钱塘人。元丰中，献《汴都赋》，召为太学正。徽宗朝，仕至徽猷阁待制，提举大晟府，出知顺昌府。晚居明州，卒。自号清真居士。有《清真集》。录〔瑞龙吟〕一首：

章台路，还见褪粉梅梢，试花桃树。愔愔坊陌人家，定巢燕子，归来旧处。　　黯凝伫，因记个人痴小，乍窥门户。侵晨浅约宫黄，障风映袖，盈盈笑语。

前度刘郎重到，访邻寻里，同时歌舞。惟有旧家秋娘，声价如故。吟笺赋笔，犹记燕台句。知谁伴名园露饮，东城闲步。事与孤鸿去。探春尽是伤离意绪。官柳低金缕，归骑晚，纤纤池塘飞雨。断肠院落，一帘风絮。

陈郁《藏一话腴》云：“美成自号清真，二百年来，以乐府独步。贵人、学士、市侩、妓女，皆知美成词为可爱。”楼攻愧云：“清真乐府播传，风流自命，‘顾曲’名堂，不能自已。”《贵耳录》云：“美成以词行，当时皆称之。不知美成文章大有可观，可惜以词掩其他文也。”强焕序云：“美成模写物态，曲尽其妙。”陈质斋云：“美成词多用唐人诗，檃括入律，混然天成。长调尤善铺叙，富艳精工，词人之甲乙也。”张叔夏云：“美成词浑厚和雅，善于融化诗句。”沈伯时云：“作词当以清真为主，盖清真最为知音，且下字用意，皆有法度。”此宋人论清真之说也。余谓词至美成，乃有大宗，前收苏、秦之终，后开姜、史之始，自有词人以来，为万世不祧之宗祖。究其实，亦不外“沉郁顿挫”四字而已。即如〔瑞龙吟〕一首，其宗旨所在，在“伤离意绪”一语耳。而入手先指明地点曰“章台路”，却不从目前景物写出，而云“还见”，此即沉郁处也。须知“梅梢”“桃树”，原来旧物，惟用“还见”云云，则令人感慨无端，低徊欲绝矣。首叠末句云：“定巢燕子，归来旧处。”言燕子可归旧处。所谓“前度刘郎”者，即欲归旧处而不得，徒彳亍于"愔愔坊陌"，章台故路而已，是又沉郁处也。第二叠"黯凝伫"一语为正文，而下文又曲折，不言其人不在，反追想当日相见时状态，用"因记"二字，则通体空灵矣，此顿挫处也。第三叠"前度刘郎"，至"声价如故"，言个人不见，但见同里秋娘，未改声价，是用侧笔以衬正文，又顿挫处也。"燕台句"，用义山柳枝故事，情景恰合。"名园露饮，东城闲步"，当日己亦为之，今则不知伴着谁人，赓续雅举，此"知谁伴"三字，又沉郁之至矣。"事与孤鸿去"三语，方说正文，以下说到归院，层次井然，而字字凄切。末以"飞雨""风絮"作结，寓情于景，倍觉黯然。通体仅"黯凝伫""前度刘郎重到""伤离意绪"三语，为作词主意。此外则顿挫而复缠绵，空灵而又沉郁，骤视之，几莫测其用笔之意，此所谓神化也。他作亦复类此，不能具述。总之，词至清真，实是圣手，后人竭力摹效，且不能形似也。至说部纪载，如〔风流子〕为溧水主簿姬人作，〔少年游〕为道君幸李师师家作，〔瑞鹤仙〕为睦州梦中作，此类颇多，皆稗官附会，或出之好事忌名，故作讪笑，等诸无稽。倘史传所谓"邦彦疏隽少检，不为州里推重"者，此欤？

右北宋八家，皆迭长坛坫，为世诵习者也。其有词不甚高，声誉颇盛，题襟点笔，间亦不俗，虽非作家之极，亦在附庸之列，成作咸在，不可废也。因复总述之。

（1）王安石　《金陵怀古》

> 登楼送目，正故国晚秋，天气初肃。千里澄江似练，翠峰如簇。征帆去棹斜阳里，背西风，酒旗斜矗。彩舟云淡，星河鹭起，画图难足。　念自昔，豪华竞逐。叹门外楼头，悲恨相续。千古凭高对此，漫嗟荣辱。六朝旧事随流水，但寒烟衰草凝绿。至今商女，时时犹唱，后庭遗曲。〔桂枝香〕

荆公不以词见长，而〔桂枝香〕一首，大为东坡叹赏，各家选本，亦皆采录，第其词只稳惬而已。他如〔菩萨蛮〕〔渔家傲〕〔清平乐〕〔浣溪沙〕等，间有可观。至〔浪淘沙〕之“伊吕两衰翁”、〔望江南〕之“归依三宝赞”，直俚语耳。

（2）晏几道　〔临江仙〕

> 梦后楼台高锁，酒醒帘幕低垂。去年春恨却来时，落花人独立，微雨燕双飞。　记得小蘋初见，两重心字罗衣，琵琶弦上说相思。当时明月在，曾照彩云归。

小山词之最著者，如此词之“落花”二句。及〔鹧鸪天〕之“舞低杨柳楼心月，歌尽桃花扇底风”，又“今宵剩把银釭照，犹恐相逢是梦中”，又“梦魂惯得无拘检，又踏杨花过谢桥”，〔浣溪沙〕之“户外绿杨春系马，床头红烛夜呼卢”，皆为世人盛称者。余谓艳词自以小山为最，以曲折深婉，浅处皆深也。

（3）李之仪　〔卜算子〕

我住长江头，君住长江尾。日日思君不见君，共饮长江水。　此水几时休，此恨何时已。只愿君心似我心，定不负，相思意。

此词盛传于世，以为古乐府俊语是也。但不善学之，易流于滑易。《姑溪词》中佳者殊鲜，如〔千秋岁〕之“东风半落梅梢雪”，〔南乡子〕之“西墙，犹有轻风递暗香”亦工。此外皆平直而已。

（4）周紫芝　〔朝中措〕

雨余庭院冷萧萧，帘幕度轻飙。鸟语唤回残梦，春寒勒住花梢。　无聊睡起，新愁黯黯，归路迢迢。又是夕阳时候，一炉沉水烟销。

孙竞谓：“竹坡乐章，清丽婉曲，非苦心刻意为之。”此言极是。竹坡少师张耒，行辈稍长李之仪，而词则学小山者也。人第赏其〔鹧鸪天〕之“梧桐叶上三更雨，叶叶声声是别离”，〔醉落魄〕之“晓寒谁看伊梳掠，雪满西楼，人在阑干角”，〔生查子〕之“不忍上西楼，怕看来时路”诸语，实皆聪俊句耳。余最爱〔品令〕登高词，其后半云：“黄花香满，记白苎吴歌软。如今却向、乱山丛里，一枝重看。对着西风搔首，为谁肠断?”沉着雄快，似非小山所能也。

(5) 葛胜仲　〔鹧鸪天〕

小榭幽圆翠箔垂，云轻日薄淡秋晖。菊英露浥渊明径，藕叶风吹叔宝池。　酬素景，泥芳卮，老人痴钝强伸眉。欢哗莫遣笙歌散，归路从教灯影稀。

鲁卿与常之，亦如元献、小山也。然门第誉望，可以齐驱，至论词，则虎贲之与中郎矣。鲁卿以〔蓦山溪〕〔天穿节〕二首得盛誉，其词亦平平，盖名高而实不足副也。余爱其〔点绛唇〕末语“乱山无数，斜日荒城鼓”，可与范文正“长烟落日孤城闭”并美。余不称矣。

(6) 黄庭坚　〔虞美人〕

天涯也有江南信，梅破知春近。夜阑风细得香迟，不道晓来开遍向南枝。　玉台弄粉花应妒，飘到眉心住。平生个里愿杯深，去国十年老尽少年心。《宜州见梅作》

晁无咎谓：“山谷词，不是当行家，乃着腔唱好诗。”此言洵是。陈后山乃云：“今代词手，惟秦七与黄九。”此实阿私之论、山谷之词，安得与太虚并称？较耆卿且不逮也。即如〔念奴娇〕下片，如“共倒金尊家万里，难得尊前相属。老子平生，江南江北，爱听临风曲”。世谓可并东坡，不知此仅豪放耳，安有东坡之雄俊哉？

(7) 张耒　〔风流子〕

亭皋木叶下，重阳近，又是捣衣秋。奈愁入庾肠，老侵潘鬓，漫簪黄菊，花也应羞。楚天晚，白蘋烟尽处，红蓼水边头。芳草有情，夕阳无语，雁横南浦，人倚西楼。　玉容知安否？香笺共锦字，两处悠悠。空恨碧云离合，青鸟沉浮。向风前懊恼，芳心一点，寸眉两叶，禁甚闲愁。情到不堪言处，分付东流。

此词仅“芳草”四语为俊语，通体布局，宛似耆卿，故下片说到本事，即如强弩之末矣。元祐诸公，皆有乐府，惟张仅见〔少年游〕〔秋蕊香〕及此词。胡元任以为不在元祐诸公之下，非公论也。(〔少年游〕〔秋蕊香〕二词，为营伎刘淑奴作。)

(8) 陈师道　〔清平乐〕

秋光烛地，帘幕生秋意。露叶翻风惊鹊坠，暗落青林红子。　　微行声断长廊，熏炉衾换生香。灭烛却延明月，揽衣先怯微凉。

胡元任云："后山自谓他文未能及人，独于词不减秦七、黄九。"其自矜如此。而放翁题跋则云："陈无已诗妙天下，以其余作词，宜其工矣。顾乃不然，殆未易晓也。"余谓后山词，较文潜为优。如〔菩萨蛮〕云"急雨洗香车，天回河汉斜"，〔蝶恋花〕云"路转河回寒日暮，连峰不许重回顾"等语，皆胜。放翁所云，亦非公也。

(9) 程垓　〔南浦〕

金鸭懒薰香，向晚来，春酲一枕无绪。浓绿涨瑶窗，东风外，吹尽乱红飞絮。无言伫立，断肠惟有流莺语。碧云欲暮，空惆怅，韶华一时虚度。　追思旧日心情，记题叶西楼，吹花南浦。老去觉欢疏，伤春恨，多付断云残雨。黄昏院落，问谁犹在凭阑处？可堪杜宇，空只解声声，催他春去。

毛子晋云："正伯与子瞻，中表兄弟也，故集中多溷苏作，如〔意难忘〕〔一剪梅〕之类。"余按今传《书舟词》，已无苏作，子晋已删汰矣。其〔酷相思〕〔四代好〕〔折红英〕诸作，盛为升庵推许。盖其词以凄婉绵丽为宗，为北宋人别开生面，自是以后，字句间凝炼渐工，而昔贤疏宕之致微矣。

(10) 毛滂 〔临江仙〕

闻道长安灯夜好，雕轮宝马如云。蓬莱清浅对觚棱，玉皇开碧落，银界失黄昏。 谁见江南憔悴客？端忧懒步芳尘。小屏风畔冷香凝，酒浓春入梦，窗破月寻人。《都城元夕》

滂以〔惜分飞〕赠伎词得盛名。陈质斋且云：“泽民他词虽工，未有能及此者。”所见太狭矣。《东堂词》中佳者殊多，如〔浣溪沙〕云：“小雨初收蝶做团，和风轻拂燕泥干，秋千院落落花寒。”〔七娘子〕云：“云外长安，斜晖脉脉，西风吹梦来无迹。”〔蓦山溪〕《杨花》云：“柔弱不胜春，任东风吹来吹去。”皆俊逸可喜，安得云〔惜分飞〕为最乎？即此词之“酒浓”二句，何减“云破月来”风调。

(11) 晁补之 〔摸鱼儿〕

买陂塘旋栽杨柳，依稀淮岸湘浦。东皋雨足轻痕涨，沙觜鹭来鸥聚。堪爱处，最好是，一川夜月光流渚。无人自舞，任翠幕张天，柔茵藉地，酒尽未能去。

青绫被，休忆金闺故步，儒冠曾把身误。弓兵千骑成何事，荒了邵平瓜圃。君试觑，满青镜，星星鬓影今如许。功名浪语，便做得班超，封侯万里，归计恐迟暮。

无咎词酷似东坡，不独此作然也。如〔满江红〕之“东武南城”、〔永遇乐〕之“松菊堂深”，皆直摩子瞻之垒，而灵气往来，自有天然之秀。胡元任盛称其〔洞仙歌〕《泗州中秋作》，谓如常山之蛇，救首救尾，可云知无咎者矣。

（12）晁端礼　〔水龙吟〕

倦游京洛风尘，夜来病酒无人问。九衢雪少，千门月淡，元宵灯近。香散梅梢，冻销池面，一番春信。记南城醉里，西城宴阕，都不管人春困。　屈指流年未几，早惊人潘郎双鬓。当时体态，而今情绪，多应瘦损。马上墙头，纵教瞥见，也难相认。凭阑干，但有盈盈泪眼，把罗襟揾。

次膺为无咎叔，蔡京荐于朝，诏乘驿赴阙。次膺至，适禁中嘉莲生，遂属词以进，名〔并蒂芙蓉〕。上览称善，除大晟府协律，不克受而卒。今《琴趣外篇》有〔鸭头绿〕〔黄河清慢〕，皆所创也。其才亦不亚于清真云。

（13）万俟雅言　〔昭君怨〕

春到南楼雪尽，惊动灯期花信。小雨一番寒，倚阑干。　　莫把阑干频倚，一望几重烟水。何处是京华？暮云遮。

雅言自号词隐，与清真堂名顾曲，其旨相同。崇宁中，充大晟府制撰，又与清真同官。今《大声集》虽不传，而如〔春草碧〕〔三台〕〔卓牌儿〕诸词，固流播千古也。黄叔旸谓其词“平而工，和而雅”，洵然。

右附录十三家。姑溪、竹坡、丹阳三家，则学晏氏父子者也；文潜、后山、正伯、东堂、无咎，则属于苏门者也。次膺、词隐为邦彦同官，讨论古音古调，又复增演慢、曲、引、近，或为三犯、四犯之曲，皆知音之士，故当系诸清真之下。荆公、山谷，实非专家，盛誉难没，因附入焉。

第二　南宋人词略

词至南宋，可云极盛时代。黄升散花庵《中兴以来绝妙词选》十卷，始于康与之，终于洪瑹；周密《绝妙好词》七卷，始于张孝祥，终于仇远，合订不下二百家。二书皆选家之善本，学者必须探讨，顾由博返约，首当抉择。兹选论七家，为南渡词人之表率，即稼轩、白石、玉田、碧山、梅溪、梦窗、草窗是也。此外附录所及，各以类聚，亦可略见大概矣。

(1) 辛弃疾 字幼安，历城人。耿京聚兵山东，节制忠义军马，留掌书记。绍兴中，令奉表南归，高宗召见，授承务郎，累官浙东安抚使，进枢密都承旨。有《稼轩长短句》十二卷。

贺新郎　　独坐停云作

甚矣吾衰矣！怅平生交游零落，只今余几？白发空垂三千丈，一笑人间万事，问何物能令公喜？我见青山多妩媚，料青山见我亦如是。情与貌，略相似。

一尊搔首东窗里，想渊明停云诗就，此时风味。江左沉酣求名者，岂识浊醪妙理？回首叫云飞风起。不恨古人吾不见，恨古人不见吾狂耳。知我者，二三子。

陈子宏云：“蔡元工于词，靖康中，陷金。辛幼安以诗词谒蔡，曰：‘子之诗则未也。他日当以词名家。’”刘潜夫云：“公所作大声镗鞳，小声铿鍧，横绝六合，扫空万古。其秾丽绵密者，又不在小晏、秦郎之下。”毛子晋云：“词家争斗秾纤，而稼轩率多抚时感事之作，磊落英多，绝不作妮子态。宋人以东坡为词诗，稼轩为词论，善评也。”陈亦峰云：“稼轩词自以〔贺新郎〕一篇为冠，《别茂嘉十二弟》沉郁苍凉，跳跃动荡，古今无此笔力。”余谓学稼轩词，须多读书，不用书卷，徒事叫嚣，便是蒋心余、郑板桥，去“沉郁”二字远矣。辛词着力太重处，如〔破阵子〕《为陈同甫赋壮诗以寄之》、〔瑞鹤仙〕《南涧双溪楼》等作，不免剑拔弩张。至如〔鹧鸪天〕云：“却将万字平戎策，换得东郊种树书。”读之不觉衰飒。〔临江仙〕云：“别浦鲤鱼何日到？锦书封恨重重。海棠花下去年逢。也应随分瘦，忍泪觅残红。”婉雅芊丽，孰谓稼轩不工致语耶？又〔蝶恋花〕《元日立春》云：“今岁花期消息定，只愁风雨无凭准。”盖言荣辱不定，遭谪无常，言外有多少疑惧哀怨，而仍是含蓄不尽。此等处，虽迦陵且不能知，遑论余子。世以〔摸鱼子〕一首为最佳，亦有见地，但启讥讽之端。陈藏一之《咏雪》，德祐太学生之〔百字令〕，往往易招愆尤也。

（2）姜夔　字尧章，鄱阳人。萧东父识之于年少，妻以兄子，因寓居吴兴之武康，与白石洞天为邻，自号白石道人。庆元中，曾上书乞正太常雅乐。有《白石诗》一卷、词五卷。录词一首：

霓裳中序第一

亭皋正望极，乱落江莲归未得。多病却无气力，况纨扇渐疏，罗衣初索。流光过隙，叹杏梁、双燕如客。人何在？一帘淡月，仿佛照颜色。　　幽寂，乱蛩吟壁。动庾信、清愁似织。沉思年少浪迹。笛里关山，柳下坊陌。坠红无信息，漫暗水、涓涓流碧。漂零久，而今何意？醉卧酒垆侧。

宋人词如美成乐府，仅注明宫调而已。宫调者，即说明用何等管色也，如仙吕用小工、越调用六字类，盖为乐工计耳。白石词，凡旧牌皆不注明管色，而独于自度腔十七支，不独书明宫调，并乐谱亦详载之。宋代曲谱，今不可见，惟此十七阕，尚留歌词之法于一线。因悟宋人歌词之法，皆用旧谱，故白石于旧牌各词，概不申说，而于自作诸谱，不殚详录也。何以明之？白石词〔满江红〕序云：“〔满江红〕旧词用仄韵，多不协律。如末句云‘无心扑’三字，歌者将‘心’字融入去声，方谐音律。”又云：“末句云‘闻珮环’，则协律矣。”是白石明知旧谱“心”字之不协，乃为此“珮”字之去声以就歌谱焉。故此词不注旁谱，以见韵虽用平，而歌则仍旧也。又吴梦窗〔西子妆〕，亦自度腔也。而张玉田和之，且云：“梦窗自制此曲，余喜其声调娴雅，久欲效而未能。”又云：“惜旧谱零落，不能倚声而歌也。”据此，则宋调之能歌者，皆非旧谱零落之词。梦窗此调，虽娴雅可观，而谱法已佚，无从按拍。苟可不拘旧谱，则玉田尽可补苴罅漏，别订新声。今宁使阙疑，不敢妄作者，正足见宋人歌词之法，概守旧腔，非如南北曲之随字音清浊而为之挪移音节也。是以吴词自制腔九支，以不自作谱，元明以来，赓和者绝少；姜词十七谱具存，故继姜而作者至多。于此见谱之存逸，关系于词之隆替者至重。而宋词谱之守定成式者，亦缘此可悟矣。南渡以后，国势日非，白石目击心伤，多于词中寄慨，不独〔暗香〕〔疏影〕，发二帝之幽愤，伤在位之无人也。特感慨全在虚处，无迹可寻，人自不察耳。盖词中感喟，只可用比兴体，即比兴中亦须含蓄不露，斯为沉郁，若慷慨发越，终病浅显。如〔扬州慢〕“自胡马窥江去后，废池乔木，犹厌言兵”，已包含无数伤乱语。又如〔点绛唇〕《丁未冬过吴淞作》，通首只写眼前景物，至结处云：“今何许？凭阑怀古，残柳参差舞。”其感时伤事，只用“今何许”三字提唱，无穷哀感，都在虚处。他如〔石湖仙〕〔翠楼吟〕诸作，自是有感而发，特未敢臆断耳。（姜词十七谱，余别有释词，今不论。）

（3）张炎　字叔夏，号玉田。循王后裔。居临安，自号乐笑翁。有《玉田词》三卷，郑思肖为之序。录〔南浦〕一首：

南　浦　　　　春水

波暖绿粼粼，燕飞来，好是苏堤才晓。鱼没浪痕圆，流红去、翻唤东风难扫。荒桥断浦，柳阴撑出扁舟小。回首池塘青欲遍，绝似梦中芳草。　和云流出空山，甚年年净洗，花香不了。新绿乍生时，孤村路、犹忆那回曾到。余情渺渺，茂林觞咏如今悄。前度刘郎归去后，溪上碧桃多少？

玉田词皆雅正，故集中无俚鄙语，且别具忠爱之致；玉田词皆空灵，故集中无拙滞语，且又多婉丽之态。自学之者多效其空灵，而立意不深，即流于空滑之弊。岂知玉田用笔，各极其致，而琢句之工，尤能使意笔俱显。人仅赏其精警，而作者诣力之深，曾未知其甘苦也。如〔忆旧游〕《大都长春宫》云："古台半压琪树，引袖拂寒星。"结云："鹤衣散彩都是云。"〔壶中天〕《夜渡古黄河》云："扣舷歌断，海蟾飞上孤白。"〔渡江云〕《山阴久客寄王菊存》云："山空天入海，倚楼望极，风急暮潮初。"〔湘月〕《山阴道中》云："疏风迎面，湿衣原是空翠。"〔清平乐〕云："只有一枝梧叶，不知多少秋声。"〔甘州〕《寄沈尧道》云："短梦依然江表，老泪洒西州。一字无题处，落叶都愁。"又云："折芦花赠远，零落一身秋。"又《饯草窗西归》云："料瘦筇归后，闲锁北山云。"〔台城路〕《送周方山》云："暗草埋沙，明波洗月，谁念天涯羁旅。"又《寄太白山人陈又新》云："虚沙动月，叹千里悲歌，唾壶敲缺。"又云："回潮似咽，送一点愁心，故人天末。江影沉沉，夜凉鸥梦阔。"〔长亭怨〕《饯菊泉》云："记横笛玉关高处，万叠沙寒，雪深无路。"〔西子妆〕《江上》云："杨花点点是春心，替风前万花吹泪。"〔忆旧游〕《登蓬莱阁》云："海日生残夜，看卧龙和梦，飞入秋冥。还听水声东去，山冷不生云。"此类皆精警无匹，可与尧章颉颃。又如

〔迈陂塘〕结处云："深更静，待散发吹箫，鹤背天风冷。凭高露饮，正碧落尘空，光摇半壁，月在万松顶。"沉郁以清超出之，飘飘有凌云气概，自在草窗、西麓之上。至如〔长亭怨〕《饯菊泉》结云"且莫把孤愁，说与当时歌舞"，〔三姝媚〕《送舒亦山》云"贺监犹存，还散迹，千山风露"，又云"布袜青鞋，休误入桃源深处"，盖是时菊泉、亦山，各有北游，语带箴规，又复自明不仕之志。君国之感，离别之情，言外自见，此亦足见玉田生平矣。

玉田用韵至杂，往往真文、青庚、侵寻同用，亦有寒删间杂覃监者，此等处实不足法。惟在入声韵，则又谨严，屋沃不混觉药，质陌不混月屑，亦不杂他韵。学者当从其谨严处，勿藉口玉田，为文过之地也。

(4) 王沂孙　字圣与，号碧山，又号中仙，会稽人。至元中，曾官庆元路学正。有《碧山乐府》二卷。录词一首：

齐天乐　　余闲书院拟赋蝉

一襟遗恨宫魂断，年年翠阴庭宇。乍咽凉柯，还移暗叶，重把离愁深诉。西窗过雨，渐金错鸣刀，玉筝调柱。镜掩残妆，为谁娇鬓尚如许。　铜仙铅泪似洗，叹移盘去远，难贮零露。病翼惊秋，枯形阅世，消得斜阳几度。余音更苦，甚独抱清商，顿成凄楚。漫想薰风，柳丝千万缕。

大抵碧山之词，皆发于忠爱之忱，无刻意争奇之意，而人自莫及。论词品之高，南宋诸公，当以《花外》为巨擘焉。其咏物诸篇，固是君国之忧，时时寄托，却无一笔犯复，字字贴切故也。〔天香〕《龙涎香》一首，当为谢太后作。其前半多指海外事，惟后叠云："荀令如今渐老，总忘却尊前旧风味。"必有寄托，但不知何所指耳。至如〔南浦〕《春水》云："帘影蘸楼阴，芳流去，应有泪珠千点。沧浪一舸，断魂重唱蘋花怨。"寄慨处清丽纡徐，斯为雅正。又〔庆宫春〕《水仙》云："岁华相误，记前度湘皋怨别。哀弦重听，都是凄凉未须彻。"后叠云："国香到此谁辨？烟冷沙昏，顿成愁绝。"结云："试招仙魄，怕今夜瑶簪冻折。携盘独出，空怨咸阳，故宫落月。"凄凉哀怨，其为王清惠辈作乎？（清惠等诗词具见汪水云《湖山类稿》。）又〔无闷〕《雪意》后半云："清致，悄无似。有照水南枝，已挽春意。误几度凭阑，暮愁凝睇。应是梨云梦好，未肯放东风来人世。待翠管吹破苍茫，看取玉壶天地。"无限怨情，出以浑厚之笔。张皋文《词选》，碧山词止取四首，除〔齐天乐〕《赋蝉》外，有〔眉妩〕《新月》、〔高阳台〕《梅花》、〔庆清朝〕《榴花》三阕，且于每词下各注案语。〔眉妩〕云："此喜君有恢复之志，而惜无贤臣也。"〔高阳台〕云："此伤君臣宴安，不思国耻，天下将亡也。"〔庆清朝〕云："此言乱世尚有人才，惜世不用也。"是知碧山一片热肠，无穷哀感，《小雅》怨诽不乱之旨，诸词有焉。以视白石之〔暗香〕〔疏影〕，亦有过之无不及。词至此，蔑以加矣。

（5）史达祖　字邦卿，汴人。《四朝闻见录》：“韩侂胄为平章，专倚省吏史达祖举行文字，拟帖拟旨，皆出其手，侍从柬札，至用申呈。韩败，遂黥焉。”有《梅溪词》一卷。录词一首：

三姝媚

烟光摇缥瓦，望晴檐多风，柳花如洒。锦瑟横床，想泪痕尘影，凤弦长下。倦出犀帷，频梦见、王孙骄马。讳道相思，偷理绡裙，自惊腰衩。　　惆怅南楼遥夜，记翠箔张灯，枕肩歌罢。又入铜驼，遍旧家门巷，首讯声价。可惜东风，将恨与，闲花俱谢。记取崔徽模样，归来暗写。

邦卿为平原堂吏，千古无不惜之。楼敬思云：“史达祖南宋名士，不得进士出身，以彼文采，岂无论荐？乃甘作权相堂吏，至被弹章，不亦降志辱身之至耶？”读其《书怀》〔满江红〕词：“好领青衫，全不向诗书中得。”“三径就荒秋自好，一钱不值贫相逼。”亦自怨自艾者矣。又读其《出京》〔满江红〕词：“更无人擪笛傍宫墙，苔花碧。”又云：“老子岂无经世术，诗人不预平戎策。”是亦善于解嘲焉。然集中又有《留别社友》〔龙吟曲〕："楚江南每为神州未复。阑干静，慷登眺。"新亭之泣，未必不胜于兰亭之集也。乃以词客终其身，史臣亦不屑道其姓氏，科目之困人如此，岂不可叹！然则词人立品，为尤要矣。戈顺卿谓："周清真善运化唐人诗句，最为词中神妙之境。而梅溪亦擅其长，笔意更为相近。"又云："若仿张为作词家主客图，周为主，史为客，未始非定论也。"其倾倒梅溪，可为尽至。余谓白石、梅溪，皆祖清真，白石化矣，梅溪或稍逊耳。至其高者，亦未尝不化。如〔湘江静〕云："三年梦冷，孤吟意短，屡烟钟津鼓。屐齿厌登临，移橙后、几番凉雨。"又〔临江仙〕结句云："枉教装得旧时多。向来箫鼓地，曾见柳婆娑。"慷慨生哀，极悲极郁，居然美成复生，较"临断岸新绿生时，是落红带愁流处"，尤为沉着。此种境地，却是梅溪独到处。

(6) 吴文英　字君特，四明人。从吴履斋诸公游。有《梦窗甲乙丙丁稿》四卷。录词一首：

莺啼序

残寒正欺病酒，掩沉香绣户。燕来晚、飞入西城，似说春事迟暮。画船载、清明过却，晴烟冉冉吴宫树。念羁情游荡，随风化为轻絮。　　十载西湖，傍柳系马，趁娇尘软雾。溯红渐招入仙溪，锦儿偷寄幽素。倚银屏、春宽梦窄，断红湿、歌纨金缕。暝堤空，轻把斜阳，总还鸥鹭。　幽兰旋老，杜若还生，尚水乡寄旅。别后访、六桥无信，事往花委，瘗玉埋香，几番风雨。长波妒盼，遥山羞黛，渔灯分影春江宿。记当时、短楫桃根渡，青楼仿佛。临分败壁题诗，泪墨渗澹尘土。　危亭望极，草色天涯，叹鬓侵半苎。暗点检、离痕欢唾，尚染鲛绡。亸凤迷归，破鸾慵舞。殷勤待写，书中长恨，蓝霞辽海沉过雁，漫相思、弹入哀筝柱。伤心千里江南，怨曲重招，断魂在否？

按梦窗词，以绵丽为尚，运意深远，用笔幽邃，炼字炼句，迥不犹人。貌观之，雕缋满眼，而实有灵气行乎其间。细心吟绎，觉味美于方回，引人入胜，既不病其晦涩，亦不见其堆垛。此与清真、梅溪、白石并为词学之正宗，一脉真传，特稍变其面目耳。犹之玉豀生之诗，藻采组织，而神韵流转，旨趣永长，未可妄讥其獭祭也。昔人评骘，多有未当，即如尹惟晓以梦窗并清真，不知置东坡、少游、方回、白石等于何地，誉之未免溢量。至沈伯时谓其太晦，其实梦窗才情超逸，何尝沉晦？梦窗长处，正在超逸之中，见沉郁之思，乌得转以沉郁为晦耶？若叔夏“七宝楼台”之喻，亦所未解。窃谓东坡〔水调歌头〕、介甫〔桂枝香〕有此弊病，至梦窗词，合观通篇，固多警策，即分摘数语，亦自入妙，何尝不成片段耶？张皋文《词选》，独不收梦窗词，而以苏、辛为正声，此门户之见，乃以梦窗与耆卿、山谷、改之辈同列，此真不知梦窗也。董氏《续词选》，只取梦窗〔唐多令〕〔忆旧游〕两篇，此二篇绝非梦窗高诣。〔唐多令〕一篇，几于油腔滑调，在梦窗集中最属下乘。《续选》独取此两篇，岂故收其下者，以实皋文之言耶？谬矣。

梦窗精于造句，超逸处，则仙骨珊珊，洗脱凡艳；幽索处，则孤怀耿耿，别缔古欢。如〔高阳台〕《落梅》云："宫粉雕痕，仙云堕影，无人野水荒湾。古石埋香，金沙锁骨连环。南楼不恨吹横笛，恨晓风千里关山。半飘零，庭院黄昏，月冷阑干。"又云："细雨归鸿，孤山无限春寒。"〔瑞鹤仙〕云："怨柳凄花，似曾相识。西风破屐，林下路，水边石。"〔祝英台近〕《除夜立春》云："剪红情，裁绿意，花信上钗股。残日东风，不放岁华去。"又《春日客龟溪游废园》云："绿暗长亭，归梦趁风絮。"〔水龙吟〕《惠山酌泉》云："艳阳不到青山，淡烟冷翠成秋苑。"〔满江红〕《淀山湖》云："对两蛾犹锁，怨绿烟中。秋色未教飞尽雁，夕阳长是坠疏钟。"〔点绛唇〕《试灯夜初晴》云："情如水，小楼薰被，春梦笙歌里。"又云："征衫贮，旧寒一缕，泪湿风帘絮。"〔八声甘州〕《游灵岩》云："箭径酸风射眼，腻水染花腥。"又云："连呼酒，上琴台去，秋与云平。"俱能超妙入神。

（7）周密　字公谨，号草窗，济南人。流寓吴兴，居弁山。自号弁阳啸翁，又号萧斋，又号四水潜夫。淳祐中，为义乌令。有《蜡屐集》《草窗词》二卷，一名《蘋洲渔笛谱》。录词一首：

曲游春

禁苑东风外，飏暖丝晴絮，春思如织。燕约莺期，恼芳情偏在，翠深红隙。漠漠香尘隔，沸十里、乱丝丛笛。看画船尽入西泠，闲却半湖春色。　柳陌，新烟凝碧，映帘底宫眉，堤上游勒。轻暝笼烟，怕梨云梦冷，杏香愁幂。歌管酬寒食，奈蝶怨良宵岑寂。正恁醉月摇花，怎生去得？

按草窗词，尽洗靡曼，独标清丽，有葱茜之色，有绵渺之思，与梦窗旨趣相侔。二窗并称，允矣无忝。其于词律，亦极严谨，盖交游甚广，深得切劘之益。如集中所称霞翁，乃杨守斋也。守斋名缵，字继翁，又号紫霞翁，善弹琴，明宫调词法，周美成有《紫霞洞箫谱》。尝著《作词五要》，于填词按谱、随律押韵二条详言之，守律甚细，一字不苟作。草窗与之交，宜其词律之细矣。观其〔一萼红〕《登蓬莱阁有感》一阕，苍茫感慨，情见乎词，当为草窗集中压卷，虽使美成、白石为之，亦无以过，惜不多觏耳。词云："步深幽，正云黄天淡，雪意未全休。鉴曲寒沙，茂林烟草，俯仰今古悠悠。岁华晚，飘零渐远，谁念我同载五湖舟。磴古松斜，崖阴苔老，一片清愁。　回首天涯归梦，几魂飞西浦，泪洒东州。故国山川，故园心眼，还似王粲登楼。最负他秦鬟妆镜，好江山何事此时游？为唤狂吟老监，共赋销忧。”又〔法曲献仙音〕《吊雪香亭梅》云：“一片古今愁，但废绿平烟空远。无语消魂，对斜阳衰草泪满。又西泠残笛，低送数声春怨。”即杜诗“回首可怜歌舞地”之意。以词发之，更觉凄惋。〔水龙吟〕《白莲》云：“擎露盘深，忆君凉夜，时倾铅水。想鸳鸯正结，梨云好梦，西风冷，还惊起。”词意兼胜，似此亦不亚碧山也。

右七家，皆南宋词坛领袖，历百世不祧者也。其他潜研音吕，敷陈华藻，正不乏人。复择其著者，附录之，得十四家。

（1）陆游　字务观，山阴人。以荫补登仕郎。隆兴初，赐进士出身。范成大帅蜀，为参议官。人讥其颓放，因自号放翁。有《剑南集》，词二卷。录〔水龙吟〕一首：

摩诃池上追游路，红绿参差春晚。韶光妍媚，海棠如醉，桃花欲暖。挑菜初闲，禁烟将近，一城丝管。看金鞍争道，香车飞盖，争先占、新亭馆。　惆怅年华暗换，黯消魂、雨收云散。镜奁掩月，钗梁拆凤，秦筝斜雁。身在天涯，乱山孤垒，危楼飞观。叹春来只有，杨花和恨，向东风满。《春日游摩诃池》

刘潜夫云：“放翁、稼轩，一扫纤艳，不事斧凿，但时时掉书袋，要是一癖。”余谓务观与稼轩，不可并列。放翁豪放处不多，今传诵最著者，如〔双头莲〕〔鹊桥仙〕〔真珠帘〕等，字字馨逸，与稼轩大不相同。至《南园》一记，蒙垢今古，〔钗头凤〕寄慨家庭，平生家国间，真有隐痛矣。

(2) 张孝祥　字安国，历阳人。绍兴二十四年，廷试第一，历官至显谟阁直学士。有《于湖词》一卷。录〔念奴娇〕一首：

洞庭青草，近中秋、更无一点风色。玉界琼田三万顷，着我扁舟一叶。素月分辉，明河共影，表里俱澄澈。悠然心会，妙处难与君说。　应念岭表经年，孤光自照，肝胆皆冰雪。短鬓萧疏襟袖冷，稳泛沧溟空阔。尽吸西江，细斟北斗，万象为宾客。叩舷独啸，不知今夕何夕。《过洞庭》

此作《绝妙好词》冠诸简端，其气象固是豪雄，惟用韵不甚合耳。于湖他作，如〔西江月〕之“东风吹我过湖船，杨柳丝丝拂面”，〔满江红〕之“点点不离杨柳外，声声只在芭蕉里”，皆俊妙可喜。陈郡汤衡序《于湖词》云：“元祐诸公，嬉弄乐府，寓以诗人句法，无一毫浮靡之气，实自东坡发之也。于湖紫微张公之词，同一关键。”以于湖并东坡，论亦不误，惟才气较薄弱耳。

（3）陈亮　字同甫，婺州人。绍熙四年，擢进士第一。有《龙川集》，词三卷。录〔水龙吟〕一首：

闹红深处层楼，画帘半卷东风软。春归翠陌，平莎茸嫩，垂杨金浅。迟日催花，淡云阁雨，轻寒轻暖。恨芳菲世界，游人未赏，都付与、莺和燕。　寂寞凭高念远，向南楼、一声归雁。金钗斗草，青丝勒马，风流云散。罗绶分香，翠绡封泪，几多幽怨。正消魂，又是疏烟淡月，子规声断。

叶水心云："同甫长短句四卷，每一章成，辄自叹曰：'平生经济之怀，略已陈矣。'"周草窗云："龙川好谈天下大略，以节气自居，而词亦疏宕有致。"毛子晋云："龙川词读至卷终，不作一妖语媚语，殆所称不受人怜者欤？"余谓龙川与幼安，往来至密，集中〔贺新郎〕三首，足见气谊，故词境亦近之。而如此作，又复幽秀妍丽，能者固无所不能也。

（4）刘过　字改之，太和人。尝伏阙上书，请光宗过宫。复以书抵时宰，陈恢复方略，不报，放浪湖海间。有《龙洲词》一卷。录〔沁园春〕一首：

古岂无人，可以似吾，稼轩者谁？拥七州都督，虽然陶侃，机明神鉴，未必能诗。当衮何如，公羊聊尔，千骑东方候会稽。中原事，纵匈奴未灭，毕竟男儿。　　平生出处天知，算整顿乾坤终有时。问湖南宾客，侵寻去矣，江西户口，流落何之？尽日楼台，四边屏障，目断江山魂欲飞。长安道，算世无刘表，王粲畴依。《寄辛稼轩》

改之词学幼安，而横放杰出，尤较幼安过之。叫嚣之风，于此开矣。黄花庵云："如《别妾》〔天仙子〕、《咏画眉》〔小桃红〕诸阕，稼轩集中能有此纤秀语耶？"毛子晋又述此语为改之辩护。余以为改之诸作，如《美人指甲》《美人足》，虽传述人口，实是秽亵，不足为法。至豪迈处又一放不可收，盖学幼安而不从"沉郁"二字着力，终无是处也。集中〔沁园春〕至多，"斗酒彘肩"一首尤著名，亦谰语耳。细检一过，惟〔贺新郎〕"老去相如"一阕，是其最胜者矣。

(5) 卢祖皋　字申之，永嘉人。与四灵相唱和，盛称江湖间。庆元五年进士，为军器少监。嘉定十四年，擢直学士。有《蒲江词》。录〔水龙吟〕一首：

会昌湖上扁舟，几年不醉西山路。流光又是，宫衣初试，安榴半吐。千里江山，满川烟草，薰风淮楚。念离骚恨远，独醒人去，阑干外，谁怀古？　亦有鱼龙戏舞，艳晴川绮罗歌鼓。乡情节意，尊前同是，天

涯羁旅。涨绿池塘，翠阴庭院，归期无据。问明年此夜，一眉新月，照人何处？《淮西重午》

《蒲江词》仅二十五阕，而佳者颇多。如〔贺新郎〕之《钓雪亭》、〔倦寻芳〕之《春思》、〔西江月〕之《中春》、〔清平乐〕之《春恨》，字字工协。毛子晋谓其有古乐府佳句，犹在字句间求之。论其词境，可与玉田、草窗并美云。

（6）高观国　字宾王，山阴人。有《竹屋痴语》一卷。录〔解连环〕一首：

浪摇新绿，漫芳洲翠渚，雨痕初足。荡霁色流入横塘，看风外漪漪，皱纹如縠。藻荇萦回，似留恋鸳飞鸥浴。爱娇云蘸色，媚日挼蓝，远迷心目。　仙源漾舟岸曲，照芳容几树，香浮红玉。记那回西泠桥边，裙翠传情，玉纤轻掬。三十六陂，锦鳞渺，芳音难续。隔垂杨，故人望断，浸愁千斛。《春水》

宾王与梅溪交谊颇挚，词亦各有长处。集中如〔贺新郎〕之《赋梅》、〔喜迁莺〕之《秋怀》、〔花心动〕之《梅意》、〔解连环〕之《咏柳》、〔瑞鹤仙〕之《筇枝》，皆情意悱恻，得少游之意。陈慥序其词云：“高竹屋与史梅溪，皆出周、秦之词，所作要是不经人道语，其妙处，少游、美成亦未及也。”此论虽推崇过当，惟以竹屋为周、秦之词，是确有见地。大抵南宋以来，如放翁、如于湖，则学东坡，如龙川、如龙洲，则学稼轩。至蒲江、宾王辈，以江湖叫嚣之习，非倚声家所宜，遂瓣香周、秦，而词境亦闲适矣。诸家造诣，固有不同，论其大概，不外乎此。

（7）张辑　字宗瑞，号东泽，鄱阳人。冯深居目为东仙。有《欸乃集》《东泽绮语债》二卷。录〔疏帘淡月〕一首：

梧桐雨细，渐滴做秋声，被风惊碎。润逼衣篝，线袅蕙炉沉水。悠悠岁月天涯醉，一分秋、一分憔悴。紫箫吟断，素笺恨切，夜寒鸿起。　　又何苦凄凉客里，负草堂春绿，竹溪空翠。落叶西风，吹老几番尘世。从前谙尽江湖味，听商歌，归兴千里。露侵宿酒，疏帘淡月，照人无寐。

东泽得诗法于姜尧章，词亦学之，但少尧章清刚之气耳。集中词共二十三首，皆摘取词中语标作牌名，与方回《寓声》正同。顾贺、张二家则可，今人则万不能学也。诸作中亦有效苏、辛者，如〔貂裘换酒〕（即〔贺新郎〕）《乙未冬别冯可久》、〔淮甸春〕（即〔念奴娇〕）《访淮海事迹》、〔东仙〕（即〔沁园春〕）《冯可迁号余为东仙，故赋》，皆雄健可喜，不似〔疏帘淡月〕之婉约矣。惟〔杏梁燕〕（即〔解连环〕）则与“梧桐雨细”情韵相类，盖东泽能融合豪放婉丽为一也。

（8）刘克庄　字潜夫，号后村，莆田人。以荫仕。淳祐中，赐同进士出身，官至龙图阁直学士。有《后村别调》五卷。录〔满江红〕一首：

赤日黄埃，梦不到清溪翠麓。空健羡，君家别墅，几株幽独。骨冷肌清偏要月，天寒日暮尤宜竹。想主人杖履绕千回，山南北。　　宁委涧，嫌金屋。宁映水，羞银烛。叹出群风韵，背时装束。竞爱东邻姬傅粉，谁怜空谷人如玉。笑林逋何逊漫为诗，无人读。

《后村别调》一卷，张叔夏谓直致近俗，乃效稼轩而不及者，洵然。集中〔沁园春〕二十五首、〔念奴娇〕十九首、〔贺新郎〕四十二首、〔满江红〕三十一首，可云多矣。而奔放跅弛，殊无含蕴。且寿人自寿诸作，触目皆是，词品实不高也。《古今词话》以〔清平乐〕“贪与萧郎眉语，不知舞错伊州”二句为妙语，亦不过聪俊人口吻，非词家之极则。惟《南岳》一稿，几兴大狱，诏禁作诗，词学遂盛，此则于倚声家颇有关系。今读《访梅》绝句，虽可发一粲，而当时禁网可知矣。（后村〔贺新郎〕云：“君向柳边花底问，看贞元朝士谁存者。桃满观，几开谢。”又云：“老子平生无他过，为梅花受取风流罪。”皆为江湖集狱而发。）

（9）蒋捷　字胜欲，阳羡人。德祐进士。自号竹山，遁迹不出。有《竹山词》。录〔高阳台〕一首：

燕卷晴丝，蜂黏落絮，天教绾住闲愁。闲里清明，匆匆粉涩红羞。灯摇缥缈茸窗冷，语未阑、娥影分收。好伤情，春也难留，人也难留。　芳尘满目悠悠，为问萦云佩响，还绕谁楼？别酒才斟，从前心事都休。飞莺纵有风吹转，奈旧家苑已成秋。莫思量，杨柳湾西，且棹吟舟。《送翠英》

竹山词亦有警策处，如〔贺新郎〕之“浪涌孤亭起”“梦冷黄金屋”二首，确有气度。竹坨《词综》推为南宋一家，且谓源出白石，亦非无见。惟其学稼轩处，则叫嚣奔放，与后村同病。如〔水龙吟〕《落梅》一首，通体用“些”字韵，无谓之至。〔沁园春〕云：“若有人寻，只教童道，这屋主人今自居。”又《次强云卿韵》云：“结算平生，风流债负，请一笔勾。盖攻性之兵，花园锦阵，毒身之鸩，笑齿歌喉。”又云：“迷因底叹，晴干不去，待雨淋头。”〔念奴娇〕《寿薛稼堂》云：“进退行藏，此时正要，一着高天下。”又云：“自古达官酣富贵，往往遭人描画。”〔贺新郎〕《钱狂士》云：“据我看来何所似？一似韩家五鬼，又一似杨家风子。”此等处令人绝倒。学稼轩至此，真属下下乘矣。大抵后村、竹山未尝无笔力，而风骨气度，全不讲究，是心余、板桥辈所祖，乃词中左道。有志复古者，当从梅溪、碧山用力也。

（10）陈允平　字君衡，四明人。有《日湖渔唱》二卷，《继周集》一卷。录〔酹江月〕一首：

> 霁空虹雨，傍啼蛩莎草，宿鹭汀洲。隔岸人家砧杵急，微寒先到帘钩。步幄尘高，征衫酒润，谁暖玉香篝。风灯微暗，夜长频换更筹。　应是雁柱调筝，鸳梭织锦，付与两眉愁。不似尊前今夜月，几度同上南楼。红叶无情，黄花有恨，孤负十分秋。归心如醉，梦魂飞趁东流。

张叔夏云："词欲雅而正，志之所之，一为物所役，则失其雅正之音。近代陈西麓所作平正，亦有佳者。"夫平正则难见其佳，平正而有佳者，乃真佳也。其词取法清真，刻意摹效，《继周》一集，皆和周韵，多至百二十一首。（《继周集》共词百二十三首，和周韵者百二十一首。惟〔过秦楼〕前一首、〔琴调相思引〕并非周韵，疑宋本《片玉词》，别有存此二首者也。）其倾倒美成，可与方千里、杨泽民并传。然其面目，并不十分相似，此即脱胎法，可见古人用力之方矣。集中诸词，喜改平韵，如〔绛都春〕〔永遇乐〕及此词，别具幽秀之致，亦白石法也。《西湖十咏》多感时之语，时时寄托，忠厚和平，真可亚于中仙，非草窗所可及。其词作于景定癸亥岁，阅十余年宋亡矣。是故读西麓词，一切流荡忘返之失，自然化去耳。

(11) 施岳　字仲山，号梅川，吴人。其词无专集。录〔曲游春〕一首：

画舸西泠路，占柳阴花影，芳意如织。小楫冲波度，曲尘扇底，粉香帘隙。岸转斜阳隔，又过尽、别船箫笛。傍断桥翠绕红围，相对半篙晴色。　顷刻，千山暮碧。向沽酒楼前，犹系金勒。乘月归来，正梨花夜缟，海棠烟幂，院宇明寒食。醉乍醒、一庭春寂。任满身露湿，东风欲眠未得。《清明湖上》

梅川词见于《绝妙好词》者，止有六首。其词亦法清真，如〔水龙吟〕〔兰陵王〕二作可知也。此清明词，盖与草窗同作者。草窗和词有“看画船尽入西泠，闲却半湖春色”之句，为一时传诵。此云“相对半篙晴色”，可云工力悉敌。《西湖游幸记》云：“西湖，杭人无时不游。凡缔姻赛社，会亲送葬，经会献神，无不在焉。故杭谚有‘销金锅’之号。”观草窗、梅川二词，可见盛况矣。沈义甫云：“梅川音律有源流，故其声无舛误。读唐诗多，故语雅淡。”此数语论梅川至当。

(12) 孙惟信　字季蕃，号花翁，开封人。尝有官，弃去不仕。录〔烛影摇红〕一首：

一朵鞓红，宝钗压髻东风溜。年时也是牡丹时，相见花边酒。初试夹纱半袖，与花枝盈盈斗秀。对花临景，为景牵情，因花感旧。　题叶无凭，曲沟流水空回首。梦云不入小山屏，真个欢难偶。别后知他安否？软红街清明还又。絮飞春尽，天远书沉，日长人瘦。《牡丹》

花翁集今不传，其词仅见《绝妙好词》所录五首而已。刘后村《花翁墓志》云："始婚于婺。后去婺游，留苏杭最久。一榻之外无长物，躬爨而食。书无乞米之帖，文无逐贫之赋，终其身如此。"是花翁平生亦略见矣。沈伯时云："孙花翁有好词，亦善运意，但雅正中时有一二市井语。"余谓翁集既佚，无可评骘，就弁阳历录，固无此病也。

（13）李清照　自号易安居士，济南人。格非女，赵明诚妻。有《漱玉集》。录〔壶中天〕一首：

萧条庭院，又斜风细雨，重门须闭。宠柳娇花寒食近，种种恼人天气。险韵诗成，扶头酒醒，别是闲滋味。征鸿过尽，万千心事谁寄？　楼上几日春寒，帘垂四面，玉阑干慵倚。被冷香消新梦觉，不许愁人不起。清露晨流，新桐初引，多少游春意。日高烟敛，更看今日晴未。

易安词最传人口者，如〔如梦令〕之“绿肥红瘦”、〔一剪梅〕之“红藕香残”、〔醉花阴〕之“帘卷西风”、〔凤凰台〕之“香冷金猊”，世皆谓绝妙好词也。其〔声声慢〕一首，尤为罗大经、张端义所激赏，其实此词收二语，颇有伧气，非易安集中最胜者。大抵易安诸作，能疏俊而少沉着，即如〔永遇乐〕《元宵词》，人咸谓绝佳。此事感怀京洛，须有沉痛语方佳。词中如“如今憔悴，风鬟雾鬓，怕向花间重去”，固是佳语，而上下文皆不称。上云：“铺翠冠儿，燃金雪柳，簇带争济楚。”下云：“不如向帘儿底下，听人笑语。”皆太质率。明者自能辨之。惟其论词语绝精，因摘录之。其言曰：“本朝柳屯田永，变旧声作新声，出《乐章集》，大得声称于世，虽协音律，而词语尘下。又有张子野、宋子京兄弟、沈唐、元绛、晁次膺辈继出，虽时时有妙语，而破碎何足名家。至晏丞相、欧阳永叔、苏子瞻，学际天人，作为小歌词，直如酌蠡水于大海，然皆句读不葺之诗耳。又往往不协音律。（中略）王介甫、曾子固，文章似西汉，若作小歌词，则人必绝倒，不可读也。乃知词别是一家，知之者少。后晏叔原、贺方回、黄鲁直出，始能知之。而晏苦无铺叙，贺苦少典重，秦少游专主情致，而少故实，譬如贫家美女，虽极妍丽丰逸，而终乏富贵态。黄即尚故实，而多疵病，譬如良玉有瑕，价自减半矣。”其讥弹前辈，能切中其病，世不以为刻论也。至玉壶献金之疑，汝舟改嫁之谬，俞理初、陆刚甫、李莼客辈，论之详矣，不赘述。

（14）朱淑真　自号幽栖居士，钱塘人。世居姚村，不得志殁。宛陵魏仲恭辑其诗，名《断肠集》。录〔清平乐〕一首：

恼烟撩露，留我须臾住。携手藕花湖上路，一霎黄梅细雨。　娇痴不怕人猜，随群暂遣愁怀。最是分携时候，归来懒傍妆台。

居士〔生查子〕一词，为升庵诬谤，今已大白于世，无庸赘论矣。余按《断肠词》止三十一首，且非全真，安得魏端礼原辑，及稽瑞楼注本，重付校雠也？就此三十一首中论之，如〔菩萨蛮〕之“湿云不度”、〔忆秦娥〕之“弯弯曲”、〔柳梢青〕之“玉骨冰肌”、〔蝶恋花〕之“楼外垂杨”，皆谐婉可诵。朱文公谓“本朝妇人能文者，唯魏夫人及李易安”，而不及淑真。今魏夫人词，仅有〔菩萨蛮〕一首，无可评论。而淑真尚存数十首，足资研讨。余故录以为殿焉。

右十四家，南宋词之著者略具矣。竹山、后村仍复论列者，盖以见苏、辛词，实不可学，虽宋人且不能佳也。至南宋词人之盛，实多不胜数，讲学家如朱元晦、胡澹庵辈，亦有小词流传（朱有〔水调歌头〕，胡有〔醉落魄〕）。

大臣如真德秀、魏了翁、周必大等，又各有乐府名世（真有〔蝶恋花〕，魏有《寿词》一卷，周有《省斋近体乐府》）。缁流如仲殊、祖可，羽流如葛长庚、丘长春，所作亦冲雅俊迈（仲殊有〔诉衷情〕，祖可有〔小重山〕，长庚有〔酹江月〕，长春有〔无俗念〕）。名妓如苏琼、严蕊，复通词翰，斯已奇矣（苏有〔西江月〕，严有〔卜算子〕〔鹊桥仙〕等）。至《词苑丛谈》载李全之子璮〔水龙吟〕一首，有“投笔书怀，枕戈待旦，陇西年少”之语。是绿林之豪，亦知柔翰，更不胜胪举也。余故约略论之，聊疏流别而已。

第八章　概论三　金元

前述唐、五代、两宋人之作，为词学极盛之期，自是而后，此道衰矣。金、元诸家，惟吴、蔡、遗山为正，余皆略事声歌，无当雅奏。元人以北词见长，文人心力，仅注意于杂剧，且有以词入曲者，虽有疏斋、仁近、蜕岩诸子，亦非专家之业也。今综金、元二代略论之。

第一　金人词略

完颜一朝，立国浅陋。金、宋分界，习尚不同。程学行于南，苏学行于北，一时文物，亦未谓无人，惟前为宋所掩、后为元所压，遂使豪俊无闻，学术未显，识者惜之。然而《中州》一编，悉金源之文献；《归潜》十卷，实艺苑之掌故，稽古者所珍重焉。至论词学，北方较衰，杂剧挡弹盛行，而雅词几废，间有操翰倚声，亦目为习诗余技，远非两宋可比也。综其传作言之，风雅之始，端推海陵，南征之作，豪迈无及。章宗颖悟，亦多题咏，《聚骨扇》词，一时绝唱。密国公铸，才调尤富，《如庵小稿》，存词百首，宗室才望，此其选矣。至若吴、蔡体行，词风始正。于是黄华、玉峰、稷山二妙，诸家并起。而大集其成，实在《遗山乐府》，所集三十六家，知人论世，金人小史也。因就裕之所录，略志如左。

(1) 章宗　《金史》称："帝天资聪悟。"《归潜志》亦云："诗词多有可称者，并纪其宫中绝句，命翰林待制朱澜侍夜饮诗。擘橙为《软金杯》词，皆清逸可诵，要未若《聚骨扇》词之胜也。"词云：

蝶恋花　　聚骨扇

几股湘江龙骨瘦，巧样翻腾，叠作湘波绉。金缕小钿花草斗，翠绦更结同心扣。　金殿日长承宴久，□□招来，暂喜清风透。忽听传宣须急奏，轻轻褪入香罗袖。

帝词仅见此首，虽为赋物，而雅炼不苟。自来宸翰，率多俚鄙，似此寡矣。他如《铁券行》《送张建致仕归》《吊王庭筠》诸作，今皆不可见。《飞龙记》亦不存。

(2) 密国公琦　字仲宝，一字子瑜。世宗之孙，越王允常子。自号樗轩居士。著有《如庵小稿》。录〔沁园春〕词一首：

壮岁耽书，黄卷青灯，留连寸阴。到中年赢得清贫。更甚苍颜明镜，白发轻簪。衲被蒙头，草鞋着脚，风雨萧萧秋意深。凄凉否？瓶中匮粟，指下忘琴。

一篇梁父高吟，看谷变陵迁古又今。便离骚经了，灵光赋就，行歌白雪，愈少知音。试问先生，如何即是，布袖长垂不上襟？掀髯笑，一杯有味，万事无心。

公词今止存七首，为〔朝中措〕〔春草碧〕〔青玉案〕〔秦楼月〕〔西江月〕〔临江仙〕及此词也。宣宗南渡，防忌同宗，亲王皆有门禁。公以开府仪同三司，奉朝请家居，止以讲诵吟咏为乐，潜与士大夫唱酬，然不敢彰露，其遭遇亦有可悲者。观其〔西江月〕云："一百八般佛事，二十四考中书。山林朝市等区区，着甚来由自苦。"〔临江仙〕云："醉向繁台台上问，满川细柳新荷。"及此词"谷变陵迁古又今"，盖心中有难言之隐也。天兴初，北兵犯河南，公已卧疾，尝语人曰："敌势如此，不能支，止可以降，全吾祖宗，且本边塞。如得完颜氏一族归我国中，使女真不灭，则善矣，余复何望！"其言至沉痛也。公喜与文士游，一时学子如雷希颜、元裕之、李长源、王飞伯，皆游其门。飞伯尝有诗云："宣平坊里榆林巷，便是临淄公子家。寂寞华堂豪贵少，时容词客听琵琶。"一时以为实录。刘君叔亦云："其举止谈笑，真一老儒，殊无骄贵之态。"则其风度可思矣。

（3）吴激　激字彦高，建州人。宋宰相拭子，米芾婿。

使金，留不遣，官翰林待制。皇统初，出知深州，卒。有《东山集》，词一卷。录〔风流子〕一首，盖感旧作也。

书剑忆游梁。当时事，底处不堪伤。望兰楫嫩漪，向吴南浦，杏花微雨，窥宋东墙。凤城外，燕随青步障，丝惹紫游缰。曲水古今，禁烟前后，暮云楼阁，春草池塘。　回首断人肠。流年去如电，镜鬓成霜。独有蚁尊陶写，蝶梦悠扬。听出塞琵琶，风沙淅沥，寄书鸿雁，烟月微茫。不似海门潮信，犹到浔阳。

按“游梁”云云，即指使金事，故有“寄书鸿雁”“潮信”“浔阳”之语，盖亦故国之思也。彦高以〔人月圆〕一词得盛名，见《中州乐府》。先是宇文叔通主文盟，视彦高为后进，止呼为小吴。会饮酒间，有一妇人，宋宗室子流落，诸公感叹，皆作乐章一阕。宇文作〔念奴娇〕有云：“宗室家姬，陈王幼女，曾嫁钦慈族。干戈浩荡，事随天地翻覆。”次及彦高。彦高作〔人月圆〕词云：“南朝千古伤心事，犹唱后庭花。旧时王谢，堂前燕子，飞向谁家？恍然一梦，仙肌胜雪，宫鬓堆鸦。江州司马，青衫泪湿，同是天涯。”虚中览之，大惊。自后人求乐府者，叔通即云：“吴郎近以乐府名天下，可径求之。”余谓彦高词，篇数不多，皆精美尽善，虽多用前人语，而点缀殊自然也。

（4）蔡松年　松年字伯坚，真定人。累官至吏部尚书，参知政事。卒，封吴国公。著有《萧闲公集》，词名《明秀集》，见四印斋刻本，已残矣。录〔石州慢〕一首：

东海蓬莱，风鬓雾鬟，不假梳掠。仙衣卷尽，云霓方见，宫腰纤弱。心期得处，世间言语非真，海犀一点通寥廓。无物比情浓，觅无情相博。　离索。晓来一枕余香，酒病赖花医却。滟滟金尊，收拾新愁重酌。片帆云影，载将无际关山，梦魂应被杨花觉。梅子雨疏疏，满江干楼阁。

按此词为高丽使还日作。故事上国使至，设有伎乐，此首即为伎作也。《明秀集》今止见残本，惟目录尚全（见四印斋刊词）。此词止载《中州乐府》而已。余尝考元以北散套见长，而杨朝英《阳春白雪集》，别有“大乐”一栏，以东坡〔念奴娇〕、无名氏〔蝶恋花〕、晏叔原〔鹧鸪天〕、邓千江〔望海潮〕、吴彦高〔春草碧〕、辛稼轩〔摸鱼子〕、柳耆卿〔雨霖铃〕、朱淑真〔生查子〕、张子野〔天仙子〕，及伯坚此词实之。盖当时此词，固盛传歌者之口也。元人杂剧有《蔡脩闲醉写石州慢》，当即演此事，今虽不传，而其词之声价可知矣。伯坚他词尚富，《中州乐府》选十二首，多有四印斋刊本中未见者。

（5）刘仲尹　仲尹字致君，辽阳人。正隆中进士，以潞州节度副使，召为都水监丞。有《龙山集》。录〔鹧鸪天〕四首：

满树西风锁建章，宫黄未褭贡前霜。谁能载酒陪花使，终日寻香过苑墙。　修月客，弄云娘，三吴清兴入琳琅。草堂人病风流减，自洗铜瓶煮蜜尝。（其一）

骑鹤峰前第一人，不应着意怨王孙。当年艳态题诗处，好在香痕与泪痕。　调雁柱，引蛾颦，绿窗弦管合筝纂。砌台歌舞阳春后，明月朱扉几断魂。（其二）

楼宇沉沉翠几重，辘轳亭下落梧桐。川光带晚虹垂雨，树影涵秋鹊唤风。　人不见，思何穷，断肠今古夕阳中。碧云犹作山头恨，一片西飞一片东。（其三）

璧月池南剪木犀，六朝宫袖窄中宜。新声蹙巧蛾颦黛，纤指移纂雁着丝。　朱户小，画帘低，细香轻梦隔涪溪。西风只道悲秋瘦，却是西风未得知。（其四）

按《中州乐府》录龙山作十一首，而《词综》仅选其二。遗山选择至严，此十一首，无一草草，不知竹垞如何去取也。致君为李钦叔外祖，少擢第，终管义军节度副使，能诗，学江西诸公。其《墨梅》《梅影》二诗，尤为人称重，世人知者鲜矣。

（6）王庭筠　字子端，熊岳人。大定中登第，官至翰林修撰。晚年卜居黄华山，自称黄华老人。《中州乐府》录词十二首。子端词无集，止以元选为准。录一首：

百字令　癸巳暮冬小雪家集作

山堂溪色，满疏篱寒雀，烟横高树。小雪轻盈如解舞，故故穿帘入户。埽地烧香，团圆一笑，不道因风絮。冰澌生砚，问谁先得佳句？　有梦不到长安，此心安稳，只有归耕去。试问雪溪无恙否？十里淇园佳处。修竹林边，寒梅树底，准拟全家住。柴门新月，小桥谁扫归路？

按黄华得名最早，赵闲闲曾赋赠一诗云："寄语雪溪王处士，年来多病复何如？浮云世态纷纷变，秋草人情日日疏。李白一杯人影月，郑虔三绝画诗书。情知不得文章力，乞与黄华作隐居。"时闲闲尚未有盛名，由是益著称也。

（7）赵可　字献之，高平人。贞元二年进士，仕至翰林直学士。有《玉峰散人集》。

蓦山溪

赋崇福荷花，崇福在太原晋溪

云房西下，天共沧波远。走马记狂游，正芙蕖半铺镜面。浮空阑槛，招我倒芳尊，看花醉，把花归，扶路清香满。　　水枫旧曲，应逐歌尘散。时节又新凉，料开遍横湖清浅。冰姿好在，莫道总无情，残月下，晓风前，有恨何人见？

按献之少时，赴举，及御帘试《王业艰难赋》，呈文毕，于席屋上戏书小词云："赵可可，肚里文章可可。三场捱了两场过，只有这番解火。恰如合眼跳黄河，知他是过也不过。试官道王业艰难，好交你知我。"时海陵御文明殿，望见之，使左右趣录以来。有旨谕考官："此人中否，当奏之。"已而中选，不然，亦有异恩矣。后仕世宗朝，为翰林修撰，因夜览《太宗神射碑》，反复数四。明日，会世宗亲飨庙，立碑下，召学士院官读之。适有可在，音吐鸿畅，如宿习然。世宗异之，数日迁待制。及册章宗为皇太孙，适可当笔，有云："念天下大器，可不正其本欤？而世嫡皇孙所谓无以易者。"人皆称之。后章宗即位，偶问向者册文谁为之，左右以可对，即擢直学士。可少轻俊，尤工乐章，有《玉峰集》行世。晚年奉使高丽。故事，上国使至馆中，例有侍伎，献之作〔望海潮〕以赠，为世所传诵，与蔡伯坚后先辉映。惟蔡之"宫腰纤弱"，与赵之"离觞草草"，皆不免为人疵议也。

（8）刘迎　字无党，东莱人。大定中进士，除豳王府记室，改太子司经。有诗文集。乐府号《山林长语》。

乌夜啼

离恨远萦杨柳，梦魂常绕梨花。青衫记得章台月，归路玉鞭斜。　　翠镜啼痕印袖，红墙醉墨笼纱。相逢不尽平生事，春思入琵琶。

(9) 韩玉　字温甫，北平人。擢第，入翰林，为应奉文字，后为凤翔府判官。有《东浦词》。

贺新郎

柳外莺声醉。晚晴天，东风力软，嫩寒初退。花底觅春春已去，时见乱红飞坠。又闲傍阑干十二。阑外青山烟缥缈，远连空，愁与眉峰对。凝望处，两叠翠。　　鸳鸯结带灵犀佩。绮屏深香罗帐小，宝檠灯背。谁道彩云和梦断，青鸟阻寻后会。待都把相思情缀。便做锦书难写恨，奈菱花都见人憔悴。那更有，函枕泪。

按玉词，《中州乐府》所未见，仅见《词综》。尚有〔感皇恩〕一首，题作《广东与康伯可》，是玉曾南游者矣。词中有“故乡何在？梦寐草堂溪友”，又“老去生涯殢尊酒”。又“故人今夜月，相思否?”之句，则玉殆由南入北者也。

（10）党怀英　字世杰，其先冯翊人，后居泰安。官翰林承旨。有《竹溪集》。

鹧鸪天

云步凌波小凤钩，年年星汉踏清秋。只缘巧极稀相见，底用人间乞巧楼。　天外事，两悠悠，不应也作可怜愁。开帘放入窥窗月，且尽新凉睡美休。

按世杰得第，适值章宗即位之初。是时诏修《辽史》，世杰与郝俣同充纂修官，一时辽时碑铭墓志及诸家文集，或记辽事者，悉上送官。至泰和初，诏分纪、志、列传刊修官，世杰寻卒，人咸以不观全史为恨。其后陈大任继成《辽史》，或不如世杰远矣。区区词曲，不足见其学也。

（11）王渥　字仲泽，太原人。擢第，令宁陵，召为省掾。使宋回，为太学助教。天兴中，出援武仙，战殁。录词一首：

水龙吟

从商帅国器猎，同裕之赋

短衣匹马清秋，惯曾射虎南山下。西风白水，石鲸鳞甲，山川图画。千古神州，一时胜事，宾僚儒雅。快长堤万弩，平冈千骑，波涛卷，鱼龙夜。　落日孤城鼓角，笑归来长围初罢。风云惨淡，貔貅得意，旌旗闲暇。万里天河，更须一洗，中原兵马。看鞬橐呜咽，咸阳道左，拜西还驾。

按仲泽使宋至扬州，应对华敏，宋人重之。其擢第时，为奥屯邦献完颜斜烈所知，故多在兵间。后援武仙于郑州，盖从赤盏合喜，道遇北兵，殁于军阵，时论惜之。渥性明俊不羁，博学无所不通，长于谈论，工尺牍，字画遒美，有晋人风。诗多佳句，其《过颍亭》云："九山西络烟霞去，一水南吞涧壑流。宾主唱酬空翠琰，干戈横绝自沧洲。"又《赠李道人》云："簿领沉迷嫌我俗，云山放浪觉君贤。"又《颍州西湖》云："破除北客三年恨，惭愧西湖五月春。"世人多称道之。

（12）景覃　字伯仁，华阴人。自号渭滨野叟。录词一首：

天香

市远人稀，林深犬吠，山连水村幽寂。田里安闲，东邻西舍，准拟醉时欢适。社祈雩祷，有箫鼓喧天吹击。宿雨新晴，陇头闲看，露桑风麦。　　无端短亭暮驿，恨连年此时行役。何以临流萧散？缓衣轻帻。炊黍烹鸡自劳，有脆绿甘红荐芳液。梦里春泉，糟床夜滴。

（13）李献能　字钦叔，河中人。擢第，入翰林，为应奉文字。出为鄜州观察判官。再入，迁修撰。正大末，授河中帅府经历官。词不多作。录一首：

春草碧

紫箫吹破黄州月。簌簌小梅花，飘香雪。寂寞花底风鬟，颜色如花命如叶。千里涴兵尘，凌波袜。

心事鉴影鸾孤，筝弦雁绝。旧时雪堂人，今华发。肠断金缕新声，杯深不觉琉璃滑。醉梦绕南云，花上蝶。

按《金史》，李家故饶财，尽于贞祐之乱，在京师无以自资。其母素豪奢，厚于自奉，小不如意，则必诃谴，人视之殆不堪忧，献能处之自若也。钦叔为人眇小而黑色，颇多髯，善谈论，工诗，有志于风雅，又刻意乐章，在翰院，应机得体。赵闲闲、李屏山尝云："李钦叔今世翰苑才，故诸公荐之，不令出馆。"词虽不多见，而气度风格，酷似秦少游。《中州乐府》又录其〔江梅引〕〔浣溪沙〕二首，卓然名手也。

（14）赵秉文　字周臣，磁州人。擢第，入翰林，因言事外补。后再入馆，为修撰，转礼部郎中，又出典郡守。南渡后，为直学士，拜礼部尚书。自号闲闲居士。有《滏水集》。

水调歌头

四明有狂客，呼我谪仙人。俗缘千劫不尽，回首落红尘。我欲骑鲸归去，只恐神仙官府，嫌我醉时嗔。笑拍群仙手，几度梦中身。　　倚长松，聊拂石，坐看云。忽然黑霓落手，醉舞紫毫春。寄语沧浪流水，曾识闲闲居士，好为濯冠巾。却返天台去，华发散麒麟。

按此词为公述志之作。公尝自拟苏子美。此词自序云："昔拟栩仙人王云鹤赠余诗云：'寄与闲闲傲浪仙，枉随诗酒堕凡缘。黄尘遮断来时路，不到蓬山五百年。'其后玉龟山人云：'子前身赤城子也。'余因以诗记之云：'玉龟山下古仙真，许我天台一化身。拟折玉莲骑白鹤，他年沧海看扬尘。'吾友赵礼部庭玉，说：丹阳子，谓余再世苏子美也。赤城子则吾岂敢，若子美则庶几焉，尚愧词翰微不及耳。"据此则公之微尚可见矣。公幼年诗法王庭筠，晚则雄肆跌宕，魁然为一时文士领袖。金源一代，好奖励后进者，惟遗山与公而已。

（15）辛愿　字敬之，福昌人。自号女几山人，又号溪南诗老。录词一首：

临江仙　河山亭留别钦叔裕之

谁识虎头峰下客？少年有意功名。清朝无路到公卿。萧萧华屋，白发老诸生。　　邂逅对床逢二妙，挥毫落纸堪惊。他年联袂上蓬瀛。春风莲烛，莫忘此时情。

按敬之以诗名，《金史》入隐逸传。而此词“虎头”“功名”，“蓬瀛”“联袂”之句，是亦非忘情仕宦者。惟中年为人连诬，遂无远志耳。（《金史》：“愿为河南府治中高廷玉客。廷玉为府尹温迪罕福兴所诬，愿亦被讯掠，几不得免。”）平生不为科举计，且未尝至京师，俨然中州一逸士也。尝谓王郁曰：“王侯将相，世所共嗜者，圣人有以得之，亦不避。得之不以道，与夫居之不能行己之志，是欲澡其身，而伏于厕也。”其志趣如此。《金史》录其诗，独取“黄绮暂来为汉友，巢由终不是唐臣”二语，以为真处士语，洵然。词则仅见此阕而已。

（16）元好问　字裕之，秀容人。兴定五年进士。历官左司都事，转行尚书省，左司员外郎。金亡，不仕。有《遗山乐府》。

迈坡塘　　雁邱

问世间，情是何物？直教生死相许。天南地北双飞客，老翅几回寒暑。欢乐趣，离别苦，就中更有痴儿女。君应有语，渺万里层云，千山暮雪，只影向谁去？　　横汾路，寂寞当年箫鼓，荒烟依旧平楚。招魂楚些何嗟及，山鬼暗啼风雨。天也妒，未信与莺儿燕子俱黄土。行秋万古，为留待骚人，狂歌痛饮，来访雁邱处。

按此词，裕之自序云：“太和五年乙丑岁，赴试并州，道逢捕雁者云：‘今日获一雁，杀之矣。其脱网者，悲鸣不能去，竟自投于地而死。’余因买得之，葬之汾水之上，累石为识，号曰‘雁邱’。”此词即遗山首唱也，诸人和者颇多。而裕之乐府，深得稼轩三昧。张叔夏云：“遗山词深于用事，精于炼句，风流蕴藉处，不减周、秦。”余谓遗山竟是东坡后身，其高处酷似之，非稼轩所可及也。其乐府自序云：“子故言宋诗大概不及唐，而乐府歌词过之，此论殊然。乐府以来，东坡为第一，以后便到辛稼轩，此论亦然。东坡、稼轩即不论，且问遗山得意时。自视秦、晁、贺、晏诸人为何如？予大笑拊客背云‘那知许事，且啖蛤蜊’。”是遗山平昔之旨可见也。晚年尤以著作自任，以金源氏有天下，典章法度，庶几汉唐，国亡史作，己所当任。时金国《实录》，在顺天张万户家，乃言于张，愿为撰述。既而为乐夔所沮。好问曰：“不可令一代之迹，泯而不传。”乃构亭于家，著述其上，因名曰《野史》。凡金源君臣遗言往行，采摭所闻，辄以寸纸细字为记，录至百余万言。其后纂修《金史》，多本其所著焉。是以遗山所作，辄多故国之思。如〔木兰花〕云：“冰井犹残石甃，露盘已失金茎。”

〔石州慢〕云："生平王粲，而今憔悴登楼，江山信美非吾土。"〔鹧鸪天〕云："三山宫阙空银海，万里风埃暗绮罗。"又云："旧时逆旅黄粱饭，今日田家白板扉。"又云："墓头不要征西字，原是中原一布衣。"皆可见其襟抱也。（邓千江〔望海潮〕一首，在当时负盛名，元人且以之入大曲，实则寻常语耳，尚不如龙洲上郭殿帅之〔沁园春〕也。）

第二　元人词略

元人以北词登场，而歌词之法遂废。其时作者，如许鲁斋之〔满江红〕、张弘范之〔临江仙〕，不过余技及之，非专家之业。即如刘太保之〔干荷叶〕、冯子振之〔鹦鹉曲〕，亦为北词小令，非真两宋人之词也。盖入元以来，词曲混而为一。（始自《董西厢》，如〔醉落魄〕〔点绛唇〕〔哨遍〕〔沁园春〕之类，皆取词名入曲。元人杂剧，仍之不变。）而词之谱法，存者无多，且有词名仍旧，而歌法全非者。是以作家不多，即作亦如长短句之诗，未必如两宋之可按管弦矣。至如解语花之歌〔骤雨打新荷〕、陈凤仪之歌〔一络索〕，殊不可见也。总一朝论之，开国之初，若燕公楠、程钜夫、卢疏斋、杨西庵辈，偶及倚声，未扩门户。逮仇仁近振起于钱塘，此道遂盛。赵子昂、虞道园、萨雁门之徒，咸有文彩。而张仲举以绝尘之才，抱忧时之念，一身耆寿，亲见盛衰，故其词婉丽谐和，有南宋之旧格，论者谓其冠绝一时，非溢美也。其后如张埜、倪瓒、顾阿瑛、陶宗仪，又复赓续雅音，缠绵赠答。及邵复孺出，合白石、玉田之长，寄烟柳斜阳之感，其〔扫花游〕〔兰陵王〕诸作，尤近梦窗，殿步一朝，良无愧怍。此其大较也。爰分述之如左。

（1）燕公楠　字国材，江州人。至元初，辟赣州通判，累官至湖广行中书省右丞。

摸鱼儿　　答程雪楼见寿

又浮生平头六十，登楼怅望荆楚。出山小草成何事？闲却竹松烟雨。空自许，早摇落江潭，一似瑯琊树。苍苍天路，漫伏枥心长，衔图志短，岁晏欲谁与？

梅花赋，飞堕高寒玉宇。铁肠还解情语。英雄操与君侯耳，过眼群儿谁数？霜鬓缕，只梦听枝头，翡翠催归去。清觞飞羽，且细酌盱泉，酣歌郢雪，风致美无度。

按公楠即芝庵先生也。芝庵有《唱论》行世，历论古帝王善音律者，自唐玄宗至金章宗，得五人。又谓近世大曲，为苏小小〔蝶恋花〕、邓千江〔望海潮〕等十词。陶宗仪《辍耕录》所载，即本芝庵旧说也。又论歌之格调、节奏、门户、题目等，皆当行语。又云“词山曲海，千生万熟，三千小令，四十大曲”，亦为明李中麓所本。盖公深通音律，故议论亲切不浮如是也。其词不多见，所著《五峰集》，复不传。元人盛推刘太保、卢疏斋，盖就北曲言，非论词也。（刘秉忠有〔三奠子〕词，张弘范有〔鹧鸪天〕词，皆非当行语，不备录。）

（2）程钜夫　以字行，建昌人。仕世祖，官至翰林学士承旨。谥文宪。有《雪楼集》。

摸鱼子　次韵卢疏斋题岁寒亭

问疏斋湘中朱凤，何如江上鹦鹉？波寒木落人千里，客里与谁同住？茅屋趣，吾自爱吾亭，更爱参天树。劳君为赋，渺雪雁南飞，云涛东下，岁晚欲何处？

疏斋老，意气经文纬武。平生握手相许。江南江北寻芳路，共看碧云来去。黄鹄举，记我度秦淮，君正临清句（原注：宣城水名）。歌声缓与，怕径竹能醒，庭花起舞，惊散夜来雨。

按钜夫宏才博学，被遇四朝，忠亮鲠直，为时名臣。所传《雪楼集》，春容大雅，有北宋馆阁余风。所作词不多。《词综》所录，尚有《寿燕五峰》〔摸鱼儿〕、《送王荩臣》〔点绛唇〕、《答西野使君》〔清平乐〕三首。

（3）杨果　字西庵，蒲阴人。金正大中进士。入元为北京宣抚使，出为淮孟路总管。谥文献。

摸鱼儿　　同遗山赋雁邱

恨千年雁飞汾水，秋风依旧兰渚。网罗惊破双栖梦，孤影乱翻波素，还碎羽。算古往今来，只有相思苦。朝朝暮暮，想塞北风沙，江南烟月，争忍自来去。

埋恨处，依约并州旧路。一邱寂寞寒雨。世间多少风流事，天也有心相妒。休说与，还怕却、有情多被无情误。一杯待举，待细读悲歌，满倾清泪，为尔酹黄土。

遗山《雁邱》词见前，此为西庵和作。同时和者甚多，不让“双蕖怨”故事也。李仁卿亦有和作，见遗山词集中。西庵词无集，而其北词小令，散见《阳春白雪》《太平乐府》中者至多。如〔小桃红〕云：“采莲人和采莲歌，柳外兰舟过。不管鸳鸯梦惊破。应如何？有人独上江楼卧。伤心莫唱，南朝旧曲，司马泪痕多。”又云：“玉箫声断凤凰楼，憔悴人非旧。留得啼痕满罗袖。去来休，楼前风景浑依旧。当初只恨无情烟柳，不解系行舟。”清新俊逸，不亚东篱、小山也。

（4）仇远　字仁近，钱塘人。官溧阳州儒学教授。有《山村集》。

齐天乐　　赋蝉

夕阳门巷荒城曲，清音早鸣秋树。薄剪绡衣，凉生影鬓，独饮天边风露。朝朝暮暮，奈一度凄吟，一番凄楚。尚有残声，蓦然飞过别枝去。　　齐官前事漫省，行人犹说与。当日齐女，雨歇空山，月笼古柳，仿佛旧曾听处。离情正苦，甚懒拂冰笺，倦拈琴谱。满地霜红，浅莎寻蜕羽。

按远有《金渊集》，皆官溧阳日所作，故取投金濑事以为名。远在宋末，与白珽齐名，号曰“仇白”。厥后张翥、张羽，以诗词鸣于元代者，皆出其门。他所与唱和者，如周密、赵孟頫、吾丘衍、鲜于枢、方回、黄溍等，皆一时有名之士，故其所作，格律高雅，往往颉颃古人。其词亦清俊拔俗，与南宋诸公相类。盖远虽为元人，而所居在南方，且往来酬酢，多宋代遗臣，故所作与北人不同也。此词见《乐府补题》，是书皆宋末遗民唱和之作，共十三人，中如王沂孙、周密、唐珏、张炎，为尤著称。论元词者，当以远为巨擘焉。

(5) 王恽　字仲谋，汲县人。官至翰林学士承旨。谥文定。有《秋涧集》，词四卷。

水龙吟　　赋秋日红梨花

纤苞淡贮幽香，玲珑轻锁秋阳丽。仙根借暖，定应不待，荆王翠被。潇洒轻盈，玉容浑是，金茎露气。甚西风宛转，东阑暮雨，空点缀、真妃泪。　　谁遣司花妙手，又一番角奇争异。使君高卧，竹亭闲寂，故来相慰。燕几螺屏，一枝披拂，绣帘风细。约洗妆快写玉屏，芳酒枕秋蟾醉。

按恽有《秋涧集》百卷，皆以论事见长。盖恽之文章，源出元好问，故其波澜意度，皆不失前人矩矱。其所作《中堂事纪》《乌台笔补》《玉堂嘉话》，皆足备一朝掌故。文章经济，照耀一时，不徒以词章著焉。其词精密弘博，自出机杼。〔春从天上来〕一支，尤多故国之感。自制腔如〔平湖乐〕直是小令。而〔后庭花〕〔破阵子〕，即为北词仙吕〔后庭花〕之滥觞。词云："绿树远连洲，青山压树头。落日高城望，烟霏翠满楼。木兰舟，彼汾一曲，春风佳可游。"较吕止庵小令无异。元人词中，往往有与曲相混处，不可不察，非独〔天净沙〕〔翠裙腰〕而已也。（赵子昂亦有此调，较多一衬字。）

（6）赵孟頫　字子昂。宋宗室，侨湖州。至元中，以程钜夫荐，授兵部郎中，累官至翰林学士承旨。谥文敏。有《松雪斋词》一卷。

蝶恋花

侬是江南游冶子，乌帽青鞋，行乐东风里。落尽杨花春满地，萋萋芳草愁千里。　扶上兰舟人欲醉，日暮青山，相映双蛾翠。万顷湖光歌扇底，一声吹下相思泪。

按孟頫以宋朝皇族，改节事元，遂不谐于物议。然其晚年和姚子敬诗，有“同学少年今已稀，重嗟出处寸心违”之句，是未尝不知愧悔。且风流文采，冠绝当时，不独翰墨为元代第一，即其文章亦揖让于虞、杨、范、揭之间，固非陋儒所可议也。其词迢逸，不拘拘于法度，而意之所至，时有神韵。邵复孺云：“公以承平王孙，晚婴世变，黍离之感，有不能忘情者，故长短句深得骚人意度。”其在李叔固席上赠歌者贵贵，有〔浣溪沙〕一首云：“满捧金卮低唱词，尊前再拜索新诗，老夫惭愧鬓成丝。　罗袖染将修竹翠，粉香须上小梅枝，相逢不似少年时。”说者谓承平结习，未能尽除，不知此正杜牧之鬓丝禅榻、粉碎虚空时也。读公词，宜平恕。

(7) 詹玉　字可大，一号天游，郢人。官翰林学士。

霓裳中序第一　　古镜

一规古蟾魄，瞥过宣和几春色。知那个柳松花怯。曾搓玉团香，涂云抹月。龙章凤刻，是如何，儿女消得。便孤了，翠鸾何限，人更在天北。　磨灭，古今离别。幸相从，蓟门仙客。萧然林下秋叶。对云淡星疏，眉青影白。佳人已倾国。漫赢得，痴铜旧画。兴亡事，道人知否？见了也华发。

按此词，天游至元间监醮长春宫，见羽士丈室古镜，状似秋叶，背有金刻“宣和御宝”四字，因赋此阕也。余见天游诸作，如〔三姝媚〕题云《古卫舟子谓曾载钱塘宫人》，〔齐天乐〕题云《赠童瓮天兵后归杭》，其故国之思，时流露于笔墨间，盖亦由宋入元者矣。

（8）虞集　字伯生，号邵庵，崇仁人。累官至翰林直学士，兼国子祭酒。有《道园集》。

苏武慢　　和冯尊师

放棹沧浪，落霞残照，聊倚岸回山转。乘雁双凫，断芦飘苇，身在画图秋晚。雨送滩声，风摇烛影，深夜尚披吟卷。算离情何必，天涯咫尺，路遥人远。

空自笑，洛阳书生，襄阳耆旧，梦底几时曾见？老矣浮邱，赋诗明月，千仞碧天长剑。雪霁琼楼，春生瑶席，容我故山高宴。待鸡鸣日出，罗浮飞度，海波清浅。

按公诗文，为四家之冠。当时虞、杨、范、揭并见称一时。而伯生自评所作，拟诸老吏断狱，则其自信有素也。词不多作，《辍耕录》载其短柱〔折桂令〕，极险窄之苦，而能挥翰自如，不为韵缚，才大者亦工小技，信为一代宗匠焉。

(9) 萨都剌　字天锡，雁门人。登泰定进士，官镇江录事，终河北廉访经历。萨都剌者，汉言犹济善也。有《雁门集》，尚书干文传为之序。词学东坡，颇有豪致。

满江红　　金陵怀古

六代豪华，春去也，更无消息。空怅望，山川形胜，已非畴昔。王谢堂前双燕子，乌衣巷口曾相识。听夜深、寂寞打孤城，春潮急。　思往事，愁如织。怀故国，空陈迹。但荒烟衰草，乱鸦斜日。玉树歌残秋露冷，胭脂井坏寒螿泣。到如今，只有蒋山青，秦淮碧。

天锡词不多作，而长调有苏、辛遗响。大抵元词之始，实皆受遗山之感化。子昂以故国王孙，留意词翰，涵养既深，英才辈出。云石、海涯，以绮丽清新之派，振起于前，而天锡继之，元词以此时为盛矣。天锡小词，亦有法度，如〔小阑干〕云："去年人在凤凰池，银烛夜弹丝。沉水消香，梨云梦暖，深院绣帘垂。　今年冷落江南夜，心事有谁知？杨柳风柔，海棠月澹，独自倚阑时。"殊清婉可诵。余按天锡以宫词得盛名，其诗清新绮丽，自成一家。虞道园作《傅若金诗序》，亦盛推之，而独不言其词。独明宁献王曾品评其词格，盖词为诗名所掩矣。

(10) 张翥　字仲举，晋宁人。至正初，以荐为国子助教，累官至河南行省，平章政事，兼翰林学士承旨。有《蜕岩词》三卷。

多丽　　西湖泛舟

晚山青，一川云树冥冥。正参差烟凝紫翠，斜阳画出南屏。馆娃归，吴台游鹿，铜仙去，汉苑飞萤。怀古情多，凭高望极，且将尊酒慰飘零。自湖上，爱梅仙远，鹤梦几时醒？空留得，六桥疏柳，孤屿危亭。

待苏堤，歌声散尽，更须携妓西泠。藕花深，雨凉翡翠，菰蒲软，风弄蜻蜓。澄碧生秋，闹红驻景，采菱新唱最堪听。见一片水天无际，渔火两三星。多情月，为人留照，未过前汀。

仲举此词，气度冲雅，用韵尤严，较两宋人更细。〔多丽〕一调，终以此为正格。仲举他作皆佳，至此调三首，亦以此为首也。仲举少时，负才不羁，好蹴鞠，喜音乐，不以家业屑意。一旦翻然悔悟，受业于李存之门，又学于仇仁近，由是以诗文知名。薄游扬州，众闻其名，争延致之。仲举肢体昂藏，行则偏耸一肩。韩介玉以诗嘲之云："垂柳阴阴翠拂檐，倚阑红袖玉纤纤。先生掉臂长街上，十里朱帘尽下帘。"坐中皆失笑。晚年尝集兵兴以来死节之人为一编，曰《忠义录》，识者韪之。仲举词为元一代之冠，树骨既高，寓意亦远，元词之不亡，赖有此耳。其高处直与玉田、草窗相骖靳，非同时诸家所及。如〔绮罗香〕云："水阁云窗，总是惯曾经处。曾信有、客里关河，又怎禁夜深风雨。"刻意学白石，冲淡有致。又〔水龙吟〕《蓼花》云："瘦苇黄边，疏蘋白外，满汀烟穟。"用"黄边""白外"四字殊新。又云："船窗雨后数枝，低入香零粉碎。不见当年，秦淮花月，竹西歌吹。"系以感慨，意境便厚。"船窗"数语，更合蓼花神理。此等处皆仲举特长。规模南宋诸家，可云神似。

(11) 倪瓒　字元镇，无锡人。有《清闷阁集》，词一卷。

人月圆

伤心莫问前朝事，重上越王台。鹧鸪啼处，东风草绿，残照花开。　怅然孤啸，青山故国，乔木苍苔。当时明月，依依素影，何处飞来？

此词沉郁悲壮，即南宋诸公为之，亦无以过。吴彦高以此调得盛名，实不及元镇作也。他词如〔江城子〕《感旧》、〔柳梢青〕、〔小桃红〕诸作，亦蕴藉可喜。盖元镇先世以赀雄于乡，元镇不事生产，强学好修，藏书数千卷，手自勘定，性又好洁，避俗若浼，故所作无尘垢气。句曲张雨、钱塘俞和尝缮录其稿，论者谓"如白云流天，残雪在地"，洵合其高洁也。元镇与陆友仁善，因得其词学。集中有《怀友仁诗》云："归扫松阴苔，迟君践幽约。"可见两人之交谊，无怪其词之雅洁也。

（12）顾阿瑛　字仲瑛，昆山人。举茂才，署会稽教谕，力辞不就，后以子官封武略将军，钱塘县男。晚称金粟道人。有《玉山草堂集》。

青玉案

春寒恻恻春阴薄，整半月，春萧索。晴日朝来升屋角。树头幽鸟，对调新语，语罢还飞却。　红入花腮青入萼，尽不爽，花期约。可恨狂风空自恶，朝来一阵，晚来一阵，难道都吹落。

阿瑛世居界溪之上，轻财结客。年三十，始折节读书，购古书名画，三代以来，彝鼎秘玩，集录鉴赏，殆无虚日。筑玉山草堂，园池亭馆，声伎之盛，甲于天下。四方名人，如张仲举、杨廉夫、柯九思、倪元镇、方外张伯雨辈，常主其家，日夜置酒赋诗，风流文雅，著称东南焉。淮张据吴，遁隐嘉兴之合溪。母丧，归绰溪。张氏再辟之，断发庐暮，翻阅释典，自称金粟道人云。其词不多作，竹垞《词综》仅录三首，〔青玉案〕外尚有〔蝶恋花〕〔清平乐〕二支，词境虽不高，而风趣特胜。遭世乱离，壮怀消歇，尝自题其像云："儒衣僧帽道人鞋，天下青山骨可埋。若说当时豪侠兴，五陵鞍马洛阳街。"其晚境亦可悲焉。

（13）白朴　字太素，又字仁甫，真定人。有《天籁集》。

水龙吟

遗山先生有《醉乡》一词，仆饮量素悭，不知其趣，独闲居嗜睡有味，因为赋此。

醉乡千古人行，看来直到亡何地。如何物外，华胥境界，升平梦寐。鸾驭翩翩，蝶魂栩栩，俯观群蚁。恨周公不见，庄生一去，谁真解，黑甜味。　闻说希夷高卧，占三峰华山重翠。寻常羡杀，清风岭上，白云堆里。不负平生，算来惟有，日高春睡。有林间，剥啄忘机，幽鸟唤，先生起。

太素少时，鞠养于元遗山。元、白为中州世契，两家子弟，每举长庆故事，以诗文相往还。太素为寓斋仲子，于遗山为通家侄。甫七岁，遭壬辰之难，寓斋以事远适。明年春，京城变，遗山遂挈以北渡，自是不茹荤血。人问其故，曰："俟见吾亲，即如故。"尝罹疫，遗山昼夜抱持，凡六日，竟于臂上得汗而愈。盖视亲子弟不啻过之。读书颖悟异常儿，日亲炙遗山謦欬谈笑，悉能默记。数年，寓斋北归，以诗谢遗山云："顾我真成丧家狗，赖君曾护落巢儿。"居无何，父子卜居于滹阳。律赋为专门之学。而太素有能声，号后进之翘楚者。遗山每过之，必问为学次第。

尝赠之诗曰："元白通家旧，诸郎独汝贤。"未几，生长见闻，学问博览，然自幼经丧乱，仓皇失母，便有山川满目之叹。逮亡国，恒郁郁不乐，以故放浪形骸，期于适意。中统初，开府史公将以所业力荐之于朝，再三逊谢，栖迟衡门，视荣利蔑如也。其词出语遒上，寄情高远，音节协和，轻重稳惬。凡当歌对酒，感事兴怀，皆自肺腑流出，真如天籁，因以天籁名集。江阴孙大雅云："先生少有志于天下，已而事乃大谬。顾其先为金世臣，既不欲高蹈远引以抗其节，又不欲使爵禄以干其身，于是屈己降志，玩世滑稽。徙家金陵，从诸遗老，放情山水间，日以诗酒优游，用示雅志，以忘天下。"是仁甫身世亦可惋也。词中如《咸阳怀古》《感南唐故宫》诸作，颇多故国之感。赋咏金陵名胜，亦有狡童禾黍之意。而〔沁园春〕"辞谢辟召"一词，竟拟诸嵇康、山涛绝交故事，是其志尚，非同时诸子所能默契也。今人读仁甫《梧桐雨》杂剧，仅目为词人，又乌知先生出处之大节哉！

(14) 邵亨贞　字复孺，号清溪，华亭人。著有《野处集》及《蛾术词选》四卷。

兰陵王　岁晚忆王彦强而作

暮天碧，长是登临望极。松江上，云冷雁稀。立尽斜阳耿相忆，凭阑起太息。人隔吴王故国。年华晚，烟水正深，难折梅花寄寒驿。　东风旧游历。记草暗书帘，苔满吟屐。无情征旆催离席。嗟月堕寒影，夜移清漏。依稀曾向梦里识，恍疑见颜色。　空惜，鬓毛白。恨莫趁金鞍，犹误尘迹。何时弭棹苏台侧？共漉酒纱帽，放歌瑶瑟。春来双燕，定到否，旧巷陌。

按复孺以〔眉妩〕〔沁园春〕二词，得盛名于时，实是侧艳语，不足见复孺之真面也。其自序云："龙洲先生以此词咏指甲、小脚，为绝代脍炙，继其后者，独未之见。"是复孺仅学龙洲耳。不知龙洲二词，亦非刘改之最得意作，而世顾盛推之，世人遂以二词概复孺，亦可谓不知复孺者矣。复孺通博敏赡，虽阴阳、医卜、佛老书，靡弗精核。元时训导松江府学，以子诖误成颍上，久乃赦还。入明方卒，年九十三。其词如《拟古十首》，凡清真、白石、梅溪、稼轩，学之靡不神似，即此可见词学之深。又和赵文敏十词，自序云："余生十有四年而公薨，每见先辈谈公典型学问，如天上人，未尝不神驰梦想。昔东坡先生自谓不识范文正公为平生遗恨，其意盖可想见。是复孺托契古人，足征微尚，岂仅词章云尔哉！"

第九章　概论四　明清

明词芜陋，清词则中兴时也。流派颇繁，疏论如左。

第一　明人词略

论词至明代，可谓中衰之期。探其根源，有数端焉。开国作家，沿伯生、仲举之旧，犹能不乖风雅。永乐以后，两宋诸名家词，皆不显于世，惟《花间》《草堂》诸集，独盛一时。于是才士模情，辄寄言于闺闼；艺苑定论，亦揭櫫于《香奁》。托体不尊，难言大雅。其蔽一也。明人科第，视若登瀛。其有怀抱冲和，率不入乡党之月旦，声律之学，大率扣槃。迨夫通籍以还，稍事研讨，而艺非素习，等诸面墙。花鸟托其精神，赠答不出台阁。庚寅揽揆，或献以谀词；俳优登场，亦宠以华藻。连章累篇，不外酬应。其蔽二也。又自中叶，王、李之学盛行，坛坫自高，不可一世。微吾、长夜、于鳞既跋扈于先，才胜、相如、伯玉复簸扬于后，品题所及，渊膝随之。谀闻下士，狂易成风。守升庵《词品》一编，读弇州《卮言》半册，未悉正变，动肆诋諆。学寿陵邯郸之步，拾温、韦牙后之慧。“衣香百合”（用修〔如梦令〕），止崇祚之余音；“落英千片”（弇州〔玉蝴蝶〕），亦《草堂》之坠响。句摭字捃，神明不属，其弊三也。况南词歌讴，遍于海内。《白苎》新奏，盛推昆山；宁庵吴歈，蚤传白下。一时才士，竞尚侧艳。美谈极于利禄，雅情拟诸桑濮。以优孟缠达之言，作乐府风雅之什。小虫机杼，义仍只工回文；细雨窗纱，圆海惟长绮语。好行小慧，无当雅言，其蔽四也。作者既雅郑不分，读者亦泾渭莫辨。正声既绝，繁响遂多。删汰之责，是在后贤。爰自青田、青邱而下，及于卧子，略为论次之。

（1）刘基　字伯温，青田人。元进士。洪武初，官至御史中丞。论佐命功，封诚意伯。为胡惟庸毒死。正德中追谥文成。有《覆瓿集》《犁眉公集》。

千秋岁

淡烟平楚，又送王孙去。花有泪，莺无语。芭蕉心一寸，杨柳丝千缕。今夜雨，定应化作相思树。

忆昔欢游处，触目成前古。口良会，知何许？百杯桑落酒，三叠阳关句。情未与，月明潮上迷津渚。

公诗为开国第一，词则与季迪并称。其佳处虽不逮宋人，固足为朱明冠冕也。小令颇有思致，如〔临江仙〕〔小重山〕〔少年游〕诸作，清逸可诵，惟气骨稍薄耳。盖明初诸家，尚不失正宗，所可议者，气度之间，终不如两宋。降至升庵辈，句琢字炼，枝枝叶叶为之，益难语于大雅。自马浩澜、施阆仙辈，淫词秽语，无足置喙，词至于此，风雅扫地矣。迨季世陈卧子出，能以秾丽之笔，传凄婉之神，始可当一代高手。此明词大略也。公词于长调不擅胜场。小令如〔谒金门〕云："风袅袅，吹绿一庭春草。"〔转应曲〕云："秋雨秋雨，窗外白杨自语。"〔青门引〕云："相怜自有明月，照人肺腑清如水。"〔渔家傲〕云："乱鸦啼破楼头鼓。"〔踏莎行〕云："愁如溪水暂时平，雨声一夜依然满。"〔渡江云〕云："定巢新燕子，睡起雕梁，对立整乌衣。"此皆清俊绝伦者也。公在元时，有和王文明诗云："夜凉月白西湖水，坐看三台上将星。"好事者遂傅会之，谓公望西湖云气，语坐客云："后十年有帝者起，吾当辅之。"此妄也。当公羁管绍兴时，感愤至欲自杀，藉门人密里沙抱持，得不死。明祖既定婺州，犹佐石抹宜孙相守，是岂预计身为佐命者耶？其题《太公钓渭图》云："偶应飞熊兆，尊为帝者师。"则公自道也。世多以前知目公，至凡纬谶堪舆，动多妄托，岂其然乎？

（2）高启　字季迪，长洲人。隐吴淞江之青邱，自号青邱子。洪武初，召修《元史》，授编修，擢户部侍郎。坐魏观苏州府上梁文罪腰斩。有《扣舷词》一卷。

沁园春 雁

木落时来，花发时归，年又一年。记南楼望信，夕阳帘外，西窗惊梦，夜雨灯前。写月书斜，战霜阵整，横破潇湘万里天。风吹断，见两三低去，似落筝弦。　　相呼共宿寒烟，想只在芦花浅水边。恨呜呜戍角，忽催飞起，悠悠渔火，长照愁眠。陇塞间关，江湖冷落，莫恋遗粮犹在田。须高举，教弋人空慕，云海茫然。

青邱乐府，大致以疏旷见长，〔行香子〕《赋芙蓉》亦一时传诵者也。世传青邱贾祸，因《题宫女图》，其诗云："女奴扶醉踏苍苔，明月西园侍宴回。小犬隔花空吠影，夜深宫禁有谁来？"孝陵猜忌，容或有之。然集中又有《题画犬》诗云："猧儿初长尾茸茸，行响金铃细草中。莫向瑶阶吠人影，羊车半夜出深宫。"此则不类明初掖庭事。二诗或刺庚申君而作，好事者因之傅会也。总之明祖猜疑群下，恐有不臣之心，故于魏观罪且不赦，因波及青邱耳。假令观建府治，不在淮张故基，虽有谗者，亦未必入太祖之耳也。吾乡明初有"北郭十友"之名，今传者无一二矣。

（3）杨基　字孟载，嘉州人。大父仕江左，遂家吴中。洪武初，知荥阳县，历山西按察副使。有《眉庵集》，词附。

烛影摇红　帘

花影重重，乱纹匝地无人卷。有谁惆怅立黄昏，疏映宫妆浅。只有杨花得见，解匆匆寻芳觅便。多情长在，暮雨回廊，夜香庭院。　曾记扬州，红楼十里东风软。腰肢半露玉娉婷，犹恨蓬山远。闲闷如今怎遣？看草色青青似剪。且教高揭，放数点残春，一双新燕。

孟载少时，曾见杨廉夫，命赋铁笛诗成。廉夫喜曰："吾意诗境荒矣，今当让子一头地。"当时因有老杨、小杨之目。眉庵词更新俊可喜，尤宜于小令，如〔清平乐〕〔浣溪沙〕诸调，更为擅场。盖眉庵聪慧，故出语便媚，其佳处并不摹临《花间》《草堂》，与中叶后元美、升庵诸作，不可同日语矣。《静志居诗话》云："孟载诗'芳草渐于歌馆密，落花偏向舞筵多'，'细柳已黄千万缕，小桃初白两三花'，'布谷雨晴宜种药，葡萄水暖欲生芹'，'雨颉风颃枝外蝶，柳遮花映树头莺'，'燕子绿芜三月雨，杏花春水一群鹅'，'江浦荷花双鹭雨，驿亭杨柳一蝉风'诸联，试填入〔浣溪沙〕，皆绝妙好词也。"洵然。

（4）瞿佑　字宗吉，钱塘人。洪武中，以荐历仁和、临安、宜阳训导，升周府长史。永乐间谪保安，洪熙元年放还。有《乐府遗音》五卷、《余情词》一卷。

摸鱼子　苏堤春晓

望西湖柳烟花雾，楼台非远非近。苏堤十里笼春晓，山色空濛难认。风渐顺，忽听得鸣榔，惊起沙鸥阵。瑶阶露润。把绣幕微搴，纱窗半启，未审甚时分。

凭阑处，水影初浮日晕。游船未许开尽。卖花声里香尘起，罗帐玉人犹困。君莫问，君不见繁华易觉光阴迅。先寻芳信，怕绿叶成阴，红英结子，留作异时恨。

宗吉风情丽逸，著《剪灯新话》及乐府歌词，多偎红倚翠之语，为时传诵。及谪戍保安，当兴安失守，边境萧条，永乐己亥，降佛曲于塞外，选子弟唱之。时值元宵，作〔望江南〕五首，词旨凄绝，闻者皆为泣下。又凌彦翀于宗吉为大父行，曾作梅词〔霜天晓角〕、柳词〔柳梢青〕各一百首，号“梅柳争春”。宗吉一日尽和之。彦翀大惊叹，呼为小友。宗吉以此知名。后彦翀自南荒归葬西湖，宗吉以诗送之云：“一去西川隔夜台，忽看白璧瘗苍苔。酒朋诗友凋零尽，只有存斋冒雨来。”其敦友谊如此。词不多作，四声平仄，时有舛失，而琢语固精胜也。

（5）王九思　字敬夫，鄠县人。弘治丙辰进士，选庶吉士，授检讨，调吏部主事，升郎中。坐刘瑾党，降寿州同知，寻勒致仕。有《碧山乐府》。

蝶恋花　夏日

门外长槐窗外竹，槐竹阴森，绕屋重重绿。人在绿阴深处宿，午风枕簟凉如沐。　　树底辘轳声断续，短梦惊回，石鼎茶方熟。笑对碧山歌一曲，红尘不到人间屋。

敬夫与德涵，俱以词曲见长。德涵之《中山狼》、敬夫之《杜甫游春》皆盛年屏弃、无聊泄愤之作。而敬夫尤称能手，词则多酬应率意，集中寿词多至数十首，亦可知其颓唐不经意矣。此〔蝶恋花〕一首，虽随笔所之，而集中尚是上乘者。大抵康、王虽以词曲著名，实皆注意散套，故论曲家则不可不推上座，论词则曾未升堂也。世传敬夫将填词，以厚赀募国工，杜门学习琵琶、三弦，熟按诸曲，尽其技而后出之，故其词雄放奔肆，俨然有关、马之遗。余读其《游春记》及康德涵《中山狼》，嬉笑谑浪，力诋西涯，无怪为世人诟病也。德涵小令云："真个是不精不细丑行藏，怪不得没头没脑受灾殃。从今后花底朝朝醉，人间事事忘。刚方，奚落了膺和滂。荒唐，周旋了籍与康。"颇有东篱遗响。词亦不称盛名云。

（6）杨慎　字用修，新都人。正德辛未赐进士第一，授翰林修撰。以议大礼泣谏，杖谪永昌。天启初，追谥文宪。有《升庵集》。

水调歌头 牡丹

春宵微雨后，香径牡丹时。雕阑十二，金刀谁剪两三枝？六曲翠屏深掩，一架银筝缓送，且醉碧霞卮。轻寒香雾重，酒晕上来迟。　席上欢，天涯恨，雨中姿。向人欲诉飘泊，粉泪半低垂。九十春光堪惜，万种心情难写，彩笔寄相思。晓看红湿处，千里梦佳期。

用修所著书百余种，号为“百洽金华”。胡应麟嫌其熟于稗史，不娴于正史，作《笔丛》以驳之。然杨所辑《百琲真珍》《词林万选》，亦词家功臣也。所著《词品》，虽多偏驳，顾考核流别，研讨正变，确有为他家所不如者。在永昌日，曾红粉傅面，作双丫髻插花，令诸妓扶觞游行，了不愧怍。吴江沈自晋曾为谱《簪花髻》杂剧，词场艳称之。大抵用修文学，一依茶陵衣钵。自北地侈言复古，力排茶陵，用修乃沉酣六朝，览采晚唐，创为渊博靡丽之词。其意欲压倒李、何，为茶陵别张壁垒，其用力固至正也。惟措辞运典，时出轻心。援据博则乖误良多，摹仿惯则瑕疵互见。窜改古人，假托往籍，英雄欺人，亦时有之。要其钩索渊深，藻彩繁会，自足牢笼一世。即以词曲论之，如〔转应曲〕云：“花落花落，日暮长门寂寞。”又：“门掩门掩，数尽寒城漏点。”〔昭君怨〕云：“楼外东风到早，染得柳条黄了。低拂玉阑干，怯春寒。”皆不弱两宋人之作。他如《陶情乐府》，警句尤多。如：“费长房缩不尽相思地，女娲氏补不完离恨天。”又：“别泪铜壶共滴，愁肠兰焰同煎。”又：“和愁和闷，经岁经年。”又：“傲霜雪镜中紫髯，任光阴眼前赤电，仗平安头上青天。”诸语皆未经人道者。

（7）王世贞　字元美，太仓州人。嘉靖丁未进士，历官至刑部尚书。有《弇州四部稿》。

渔家傲

细雨轻烟装小暝，重衾不耐春寒横，袅尽博山孤篆影。闲自省，天涯有个人同病。　　十二巫峰围昼永，黄莺可唤梨花醒。雨点芳波揩不定。临晚镜，真珠簌簌胭脂冷。

《弇州四部稿》盛行海内，毁誉翕集，弹射四起，实则晚年亦自深悔也。世皆以王、李并称，然元美才气，十倍于鳞。惟病在爱博，笔削千兔，诗载两牛，自以为靡所不有，方成大家。究之千篇一律，安在其靡所不有也。《艺苑卮言》为弇州少作，其中论词诸篇，颇多可采。其自言云：“作《卮言》时，年未四十，与于鳞辈是古非今，此长彼短，未为定论。行世已久，不能复秘，惟有随事改正，勿误后人。”元美之虚心克己，不自掩护如此。又《自述诗》云：“野夫兴就不复删，大海回风吹紫澜。”言虽夸大，亦实语也。其词小令特工，如〔浣溪纱〕云：“权把来书钩午梦，起沽村酿泼春愁。”〔虞美人〕云：“鸭头虚染最长条，酝造离亭清泪几时消。”又：“珊瑚翠色新丰酒，解醉愁人否?”皆当行语。独世传《鸣凤记》，谱介溪相国、杨忠愍公事，则时有失律欠当处。或云为同时人假托者，要亦可信也。

(8) 张綖　字世文，高邮人。正德癸酉举人，官武昌通判，迁知光州。有《南湖集》。

风流子

新阳上帘幕，东风转，又是一年华。正驼褐寒侵，燕钗春袅，句翻词客，簪斗宫娃。堪娱处，林莺啼暖树，渚鸭睡晴沙。绣阁轻烟，剪灯时候，青旗残雪，卖酒人家。　　此时应重省，瑶台畔，曾遇翠盖香车。惆怅尘缘犹在，密约还赊。念鳞鸿不见，谁传芳信，潇湘人远，空采蘋花。无奈疏梅风景，碧草天涯。

世文学词曲于王西楼。西楼名磐，亦高邮人，为南湖外舅。今南湖《西楼乐府·弁言》所云“不肖甥张守中”者，即綖也。中论西楼家世甚详，不啻王博文之序《天籁集》也。南湖词所可见者，仅《词综》所录〔风流子〕〔蝶恋花〕两首。《古今词话》亦盛推之，目为风流蕴藉，足以振起一时，亦非溢美。惟所著《诗余图谱》一书，略有可议而已。《四库提要》云："是编取宋人歌词，择声调合节者一百十首，汇而谱之。各图其平仄于前，而缀词于后，有当平当仄，可平可仄二例，而往往不据古词，意为填注。于古人故为拗句，以取抗坠之节者，多改谐诗句之律。又校雠不精，所谓黑围为仄，白围为平，半黑半白为平仄通者，亦多混淆，殊非善本。"此言确中张氏之弊，宜为万氏所讥也。

（9）马洪　字浩澜，仁和人。有《花影集》三卷。

东风第一枝　　梅花

饵玉餐香，梦云惜月，花中无此清莹。俨然姑射仙人，华珮明珰新整。五铢衣薄，应怯瑶台凄冷。自骖鸾来下人间，几度雪深烟暝。　　孤绝处，江波流影。憔悴也，春风销粉。相思千种闲愁，声声翠禽啼醒。西湖东阁，休说当时风景。但留取一点芳心，他日调羹翠鼎。

《词品》云："鹤窗善咏诗，尤工长短句，虽皓首韦布，而含吐珠玉，锦绣胸肠，居然若贵介王孙也。"词名《花影》，盖取月下灯前，无中生有之意。余案，明有二《花影集》，一为鹤窗，一为施子野也。鹤窗气度春容，不入小家态，子野则流于纤丽矣。鹤窗〔少年游〕云："原来却在瑶阶下，独自踏花行。笑摘朱樱，微揎翠袖，枝上打流莺。"

〔行香子〕云：“借月前宵，病酒今朝。”〔满庭芳〕《落花》云：“谁道天机绣锦，都化作紫陌尘埃。”颇有隽永意味，非子野所及也。

(10) 陈子龙　字卧子，青浦人。崇祯十年进士，官兵科给事中，进兵部侍郎。明亡，殉节，清谥忠裕。有《湘真阁词》。

蝶恋花

雨外黄昏花外晓，催得流年，有恨何时了？燕子乍来春又老，乱红相对愁眉扫。　　午梦阑珊归梦杳，醒后思量，踏遍闲庭草。几度东风人意恼，深深院落芳心小。

大樽文宗两汉，诗轶三唐，苍劲之色，与节义相符。乃《湘真》一集，风流婉丽，言内意外，已无遗议。柴虎臣所谓“华亭肠断，宋玉魂销，惟卧子有之。所微短者，长篇不足耳”。余尝谓明词，非用于酬应，即用于闺闼，其能上接风骚，得倚声之正则者，独有大樽而已。三百年中，词家不谓不多，若以沉郁顿挫四字绳之，殆无一人可满意者。盖制举盛而风雅衰，理学炽而词意熄，此中消息，可以参核焉。至卧子则屏绝浮华，具见根柢，较开国时伯温、季迪，别有沉着语，非用修、弇州所能到也。他作如〔山花子〕云：“杨柳凄迷晓雾中，杏花零落五更钟。寂寂景阳宫外月，照残红。　蝶化彩衣金缕尽，虫衔画粉玉楼空。惟有无情双燕子，舞东风。”凄丽近南唐二主，词意亦哀以思矣。又〔江城子〕后半叠云：“楚宫吴苑草茸茸，恋芳丛，绕游蜂。料得来年相见画屏中。人自伤心花自笑，凭燕子，骂东风。”亦绵邈凄恻，不落凡响。先生于诗学至深，曾选明人诗，其自序略云：“一篇之收，互为讽咏；一韵之疑，互相推论。览其色矣，必准绳以观其体；符其格矣，必吟讽以求其音；协其调矣，必渊思以研其旨。”论诗能于色泽气韵中辨之，自是深得甘苦语，宜其词之渊懿大雅，为一代知音之殿也。丹徒陈亦峰云：“明末陈人中，能以浓艳之笔，传凄惋之神，在明代便算高手。然视国初诸老，已难同日而语，更何论唐宋哉!”寓贬于褒，持论未免过刻矣。

第二　清人词略

词至清代，可谓极盛之期，惟门户派别，颇有不同。二百八十年中，各遵所尚，虽各不相合，而各具异采也。其始沿明季余习，以《花》《草》为宗。继则竹垞独取南宋，而分虎、符曾佐之，风气为之一变。至樊榭而浙中诸子，咸称彬彬焉。皋文、朗甫，独工寄托，去取之间，号为严密，于是毗陵遂树帜骚坛矣。鹿潭雄才，得白石之清，而俯仰身世，动多感喟，庾信萧瑟，所作愈工，别裁伪体，不附风气，骎骎入两宋之室。幼霞之与小坡，南北不相谋也。而幼霞之严，小坡之精，各抒称心之言，咸负出尘之誉。风尘澒洞，家国飘摇，读其词者，即可知其身世焉。一代才彦，迥出朱明之上。迨及季世，彊村、夔笙，并称瑜亮，而新亭故国之感，尤非烟柳斜阳所可比拟矣。（朱、况两家，以人皆生存，未便辑入云。）盖尝总而论之，清初辇毂诸公，尊前酒边，借长短句以吐其胸中之气，始而微有寄托，久则务为谐悒。而吴越操觚家，闻风竞起，选者作者，妍媸糅杂。渔洋数载广陵，实为此道总持。迨纳兰容若才华门地，直欲牢笼一世，享年不永，同声悲惋。此一时也。竹垞以出类之才，平生宗尚，独在乐笑，《江湖载酒》，尽扫陈言。而一时裙屐，亦知趋武姜、张，叫嚣奔放之风，变而为敦厚温柔之致。二李继轨，更畅宗风，又得太鸿羽翼，如万花谷中，杂以芳杜。扬州二马、太仓诸王，具臻妙品。而东坡词诗，稼轩词论，肮脏激扬之调，遂为世所诟病。此一时也。自樊榭之学盛行，一时作家，咸思拔帜于陈、朱之外，又遇大力者，负之以趋，窈曲幽深，词格又非昔比。武进张氏，别具论古之怀，大汰言情之作，词非寄托不入。皋文已揭橥于前，言非宛转不工，子远又联骖于后，而黄仲则、左仲甫、恽子居、张翰风辈，操翰铸辞，绝无饾饤之习。又有介存周子，接武毗陵，标赵宋为四家，合诸宗于一轨，其壮气毅力，有非同时哲匠可并者。此一时也。洪、杨之乱，民苦锋镝，《水云》一卷，颇多伤乱之语，以南宋之规模，写江东之兵革，平生自负，接步风骚，论其所造，直得石帚神理。复堂雅制，品骨高骞，窥其胸中，殆将独秀，而艺非专嗜，难并鹿潭。《箧中词》品题所及，亦具巨眼，开比兴之端，结浙中之局，礼义不愆，根柢具在。月坡、樵风，无所不赅，持较半塘，未云才弱，其精到之处，雅近玉田。而《苕雅》一卷，又有《狡童》《离黍》之悲焉。此又一时也。至于论律诸家，亦以清代为胜。红友订词，实开橐钥。顺卿论韵，亦推输墨，而其所作，率皆颓唐，不称其才，岂知者未必工，工者未必尽知之欤？于是综核一代之言，复为论次之。

（1）曹溶　字洁躬，嘉兴人。崇祯十年进士，清官至户部侍郎。有《静惕堂集》，词附。

满江红　钱塘观潮

浪涌蓬莱，高飞撼宋家宫阙。谁荡激灵胥一怒，惹冠冲发。点点征帆都卸了，海门急鼓声初发。似万群风马骤银鞍，争超越。　江妃笑，堆成雪。鲛人舞，圆如月。正危楼湍转，晚来愁绝。城上吴山遮不住，乱涛穿到严滩歇。是英雄未死报仇心，秋时节。

先生为浙词之最先者，故竹垞最为心折。其言曰：“余壮日从先生南游岭表，西北至云中，酒阑灯灺，往往以小令慢词，更迭唱和。念倚声虽小道，当其为之，必崇尔雅，斥淫哇，极其能事，亦足宣昭六义，鼓吹元音。往者明三百禩，词学失传，先生搜辑遗传，余曾表而出之。数十年来，浙西填词者，家白石而户玉田，春容大雅，风气之变，实由于此。”观竹垞此言，亦犹惜抱之与海峰也。其词虽不尽工，然颇得空灵之趣。如题《静志居琴趣》后〔凤凰台上忆吹箫〕云：“无限柔肠，宛转秋雨，夜想朱唇。”又：“真真者番瘦也，酒醒后，新词只索休频。”雅有玉田遗意。

(2) 王士祯　字贻上，号阮亭，新城人。顺治十八年进士，官至刑部尚书。有《衍波词》。

浣溪沙　　红桥

北郭清溪一带流，红桥风物眼中秋。绿杨城郭是扬州。西望雷塘何处是？香魂零落使人愁。澹烟芳草旧迷楼。

渔洋小令，能以风韵胜，仍是做七绝惯技耳，然自是大雅，但少沉郁顿挫之致。昔人谓渔洋词为诗掩，非笃论也。词固以含蓄为主，惟能含蓄，而不能深厚，亦是无益。若谓北宋皆如是，为文过之地，正清初诸子之失，不独渔洋也。长调殊不见佳，《词综》所录，〔拜星月〕《踏青》一首，亦非《衍波》集中妙文。惟〔凤凰台上忆吹箫〕一首《和漱玉韵》者，可云集中之冠，因并录之：“镜影圆冰，钗痕却月，日光又上楼头。正罗帏梦觉，红褪绡钩。

睡眼初睏未起，梦里事寻忆难休。人不见，便须含泪，强对残秋。　悠悠，断鸿南去，便潇湘千里，好为依留。又斜阳声远，过尽西楼。颠倒相思难写，空望断南浦双眸。伤心处，青山红树，万点新愁。”思深意苦，几欲驾易安而上之。《衍波集》中，仅见此篇。

（3）曹贞吉　字升六，安邱人。顺治十七年举人，官礼部员外郎。有《珂雪词》二卷。

水龙吟　　白莲

平湖烟水微茫，个人仿佛横塘住。碧云乍起，羽衣初试，靓妆楚楚。露下三更，月明千里，悄无寻处。想芦花蘋叶，空濛一色，迷玉井峰头路。　莫是苧萝未嫁，曳明珰若耶归去。游仙梦杳，瑶天笙鹤，凌波微步。宿鹭飞来，依稀难认，风吹一缕。泛木兰舟小，轻绡掩映，问谁家女？

浙派词喜咏物，征故实。为后人操戈之地在此。升六固不居此例，然如《龙涎香》《白莲》《莼》《蝉》等篇，嘉、道以后，词家率喜学步，而所作未必工也。余故谓律不可不细，咏物题可不作。至于借守律之严，恕临文之拙，吾不愿士夫效之。清初诸老，惟珂雪最为大雅，才力虽不逮朱、陈，而取径则正大也。其词大抵风华掩映，寄托遥深，古调之中，纬以新意，盖其天分于此事独近耳。至咏物诸作，为陈迦陵推挹者，吾甚无取也。

(4) 吴绮　字薗次，江都人。由选贡生官湖州知府。有《艺香词》。

钗头凤　　冬闺

灯花滴，炉香熄，屏风静掩遥山碧。箫难弄，衾长空，五更帘幕，月和霜重。冻，冻，冻。　闲寻觅，无消息，泪痕冰惹红绵湿。愁难送，情还种，巫云昨夜，同骑双凤。梦，梦，梦。

小令学《花间》，长调学苏、辛，清初词家通例也。然能情语者，未必工壮语，薗次则两者皆工。故竹垞论其词，谓"选调寓声，各有旨趣，其和平雅丽处，绝似西麓"，亦非溢美。余读其〔满江红〕《醉吟》，有"髀肉晚销燕市马，乡心秋冷扬州鹤"。又云："海上文章苏玉局，人间游戏东方朔。"出语又近迦陵。盖薗次与迦陵为异姓昆季，是以词境有相同处。

(5) 顾贞观　字华峰，号梁汾，无锡人。康熙五年举人，官国史院典籍。有《弹指词》。

双双燕　　用史邦卿韵

单衣小立，正秋雨槐花，鬓丝吹冷。屏山几曲，犹忆画眉人并。残叶暗飘金井，问燕子归期未定。伤心社日辞巢，不是隔年双影。　碧甃生怜苔润，伴欲折垂条，越加轻俊。为他萦系，絮语一帘烟暝。容易雕梁占稳，待二十四番风信。重来唤取疏狂，半刻玉肩偷凭。

梁汾词，以〔金缕曲〕二首《寄汉槎》为最著。词云："季子平安否？便归来，生平万事，那堪回首？行路悠悠谁慰藉？母老家贫子幼。记不起、从前杯酒。魑魅择人应见惯，料输他覆雨翻云手。冰与雪，周旋久。　泪痕莫滴牛衣透。数天涯依然骨肉，几家能够？比似红颜多薄命，更不如今还有。只绝塞苦寒难受。廿载包胥承一诺，盼乌头马角终相救。置此札，君怀袖。"次章云："我亦飘零久。十年来，深恩负尽，死生师友。夙昔齐名非忝窃，试看杜陵消瘦，曾不减夜郎僝僽。薄命长辞知己别，问人生到此凄凉否？千万恨，为兄剖。　兄生辛未吾丁丑。共些时冰霜摧折，早衰蒲柳。词赋从今须少作，留取心魂相守。但愿得河清人寿。归日急翻行戍稿，把空名料理传身后。言不尽，观顿首。"二词纯以性情结撰而成，悲之深，慰之至，叮咛告语，无一字不从肺腑流出。此华峰之胜处也。惟不悟沉郁之致，终非上乘。

（6）彭孙遹　字骏孙，号羡门，海盐人。康熙十八年鸿博第一，历官至吏部侍郎。有《延露词》三卷。

绮罗香　　春尽日有寄

翠远浮空，红残欲滴，帘掩青山无数。旧事难寻，春色半归尘土。扑蝶会如梦光阴，研花笺相思图谱。怪东风不为吹愁，凝眸又见碧云暮。　年来沦落已惯，任一身长是，飘零吴楚。珠泪缄题，恨字分明寄与。想南楼柳絮飞时，是玉人夜来凭处。应望断远水归帆，濛濛江上雨。

清初诸家，羡门较为深厚。严绳孙云："羡门惊才绝艳，长调数十阕，固堪独步江左。至其小词，啼香怨粉，怯月凄花，不减南唐风格。"此朋友标榜之语，原非定论。余谓羡门长调小令，咸有可观，惟不能沉着，故仍以聪明见长，盖力量未足，不得不以巧胜也。〔忆王孙〕《寒食》、〔苏幕遮〕《娄江寄家信》等篇，颇得北宋人遗韵。

(7) 陈维崧　字其年，宜兴人。康熙十八年，举鸿博，授检讨。有《迦陵词》三十卷。

江南春　　和倪云林韵

风光三月连樱笋，美人踌躇白日静。小楼空翠飐东风，不见其余见衫影。无端料峭春闺冷，忽忆青骢别乡井。长将妾泪黦红巾，愿作征夫车畔尘。　人归迟，春去急，雨丝满院流光湿。锦书远道嗟奚及，坐守吴山一春碧。何日功成还马邑，双倚琵琶花树立。夕阳飞絮化为萍，揽之不得徒营营。

清初词家，断以迦陵为巨擘。曹秋岳云："其年与锡鬯，并负轶世才，同举博学鸿词，交又最深。其为词，亦工力悉敌，《乌帽》《载酒》，一时未易轩轾也。"后人每好扬朱而抑陈，以为竹垞独得南宋真脉，盖亦偏激之论。世之所以抑陈者，不过诋其粗豪耳。而迦陵不独工于壮语也，〔丁香〕《竹菇》、〔齐天乐〕《辽后妆楼》、〔过秦楼〕《疏香阁》、〔愁春未醒〕《春晓》、〔月华清〕诸阕，婉丽娴雅，何亚竹垞乎？即以壮语论之，其气魄之壮，古今殆无敌手。〔满江红〕〔金缕曲〕多至百余首，自来词家有此雄伟否？虽其间不无粗率处，而波澜壮阔，气象万千，即苏、辛复生，犹将视为畏友也。短调〔点绛唇〕云："悲风吼，临沼驿口，黄叶中原走。"〔醉太平〕云："估船运租，江楼醉呼。西风流落丹徒，想刘家寄奴。"〔好事近〕云："别来世事一番新，只吾徒犹昨。话到英雄末路，忽凉风索索。"平叙中峰峦叠起，力量最雄，非余子所能及也。长调〔满江红〕诸曲，纵笔所之，无不雄大。如"生子何须李亚子，少年当学王昙首"。（为陈九之字题扇）又"被酒我思张子布，临江不见甘兴霸"。《汴京怀古樊楼》一章下半云："风月不须愁，变换江山，到处堪歌舞。恰西湖甲第又连天，申王府。"此类皆极苍凉，又极雄丽，而老辣处几驾稼轩而上之。其年真人杰哉！至如〔月华清〕后半云：“如今光景难寻，似晴丝偏脆，水烟终化。碧浪朱阑，愁杀隔江如画。将半帙南国香词，做一夕西窗闲话。吟写，被泪痕占满，银笺桃帕。”〔沁园春〕《题徐渭文钟山梅花图》后半云：“如今潮打孤城，只商女船头月自明。叹一夜啼乌，落花有恨。五陵石马，流水无声。寻去疑无，看来似梦。一幅生绡泪写成。携此卷，伴水天闲话，江海余生。”情词兼胜，骨韵都高，几合苏、辛、周、姜为一手矣。

（8）性德　原名成德，字容若，满洲正白旗人。康熙十二年进士。有《饮水词》三卷。

一丛花　咏并蒂莲

阑珊玉佩罢霓裳，相对绾红妆。藕丝风送凌波去，又低头软语商量。一种情深，十分心苦，脉脉背斜阳。

色香空尽转生香，明月小银塘。桃根桃叶终相守，伴殷勤双宿鸳鸯。菰米漂残，沉云乍黑，同梦寄潇湘。

容若小令，凄惋不可卒读，顾梁汾、陈其年皆低首交称之。究其所诣，洵足追美南唐二主。清初小令之工，无有过于容若者矣。同时佟世南有《东白堂词》，较容若略逊，而意境之深厚，措词之显豁，亦可与容若相勒。然如〔临江仙〕《寒柳》、〔天仙子〕《渌水亭秋夜》、〔酒泉子〕《荼蘼谢后作》，非容若不能作也。又〔菩萨蛮〕云：“杨柳乍如丝，故园春尽时。”凄惋闲丽，较“驿桥春雨”更进一层。或谓容若是李煜转生，殆专论其词也。承平宿卫，又得通儒为师，搜辑旧籍，刊布艺林，其志尚自足千古，岂独琢词之工已哉？

（9）朱彝尊　字锡鬯，号竹垞，秀水人。康熙十八年，以布衣召试鸿博，授检讨。有《江湖载酒集》三卷、《静志居琴趣》一卷、《茶烟阁体物集》二卷、《蕃锦集》一卷。

解珮令　自题词集

十年磨剑，五陵结客，把平生涕泪都飘尽。老去填词，一半是空中传恨。几曾围燕钗蝉鬓。　不师秦七，不师黄九，倚新声玉田差近。落拓江湖，且分付歌筵红粉。料封侯、白头无分。

竹垞诸作，《载酒集》洒落有致，《茶烟阁》组织甚工，《蕃锦集》运用成语，别具匠心，皆无甚大过人处。惟《静志居琴趣》一卷，尽扫陈言，独出机杼。艳词有此，不独晏、欧所不能，即李后主、牛松卿亦未易过之。生香真色，得未曾有。其前后次序，略可意会，不必穿凿求之也。余尝谓竹垞自比玉田，故词多浏亮，惟秦七与黄九，不可相提并论。秦之工处，北宋殆无与抗，非黄九所能望其肩背。竹垞不学秦，而学玉田，盖独标南宋之帜耳。然而竹垞词托体之不能高，即坐此病，知音者当以余言为然也。近人慑于陈、朱之名，以为国朝冠冕，不知陈、朱虽足弁冕一朝，究其所诣，尚未绝伦。有志于古者，当宜取法乎上也。

(10) 李良年　字符曾，秀水人。康熙十八年举鸿博。有《秋锦山房词》二卷。

疏影　　黄梅

岁阑记否？著浅檀宫样，初染庭树。懒趁群芳，雪后春前，年年点缀寒圃。横斜月淡蜂黄影，长只傍短垣低护。倚茜裙、欲撚苔枝，冻鸟一双飞去。

依约荷圆磬小，剪来越镜里，先映眉妩。蓓蕾匀拈，细绞银丝，钗冷玉鱼偏处。还愁羯鼓催无力，沸蟹眼胆瓶新注。正暖香梦惹江南，忘了陇头人苦。

秋锦论词，必尽扫蹊径。尝谓南宋词人，梦窗之密，玉田之疏，必兼之乃工。斯言最确。然秋锦自作诸词，不能践此言也。梦窗固密，惟有灵气往来，玉田固疏，而其沉着处，虽白石亦且不及。浙词专学玉田之疏，于是打油腔格，摇笔即来。如“别有一般天气”“禁得天涯羁旅”等语，一时词稿中，几几触目皆是。又好运用书卷。“秋锦催雪”之《红梅》用《比红儿诗》，必注明“罗虬”。〔解连环〕《送孙以恺使朝鲜》用《雌图别叙》，又须注明“孝经纬”。不知词之佳处，不必以书卷见长，搬运类书，最无益于词境也。符曾所作，纯疵互见。如〔好事近〕云：“五十五船旧事，听白头人语。”〔高阳台〕云：“一笛东风，斜阳淡压荒烟。”〔踏莎行〕云：“游人休吊六朝春，百年中有伤心处。”胜国之感，妙于淡处描写，味隽意长，似非竹垞所能到者。

（11）李符　字分虎，一字耕客，嘉兴人。布衣。有《耒边词》二卷。

齐天乐　　茗南道中

野塘水漫孤城路，晓来载诗移槛。柳悴汀荒，邱迟宅坏，急雨鸣蓑千点。绿芜如染，映翠藻参差，鹅鹕能占。沽酒何村？花明独树小桥店。　　昔游如昨日耳，记深深院宇，罗绮春艳。妆阁悬蛛，舞衫化蝶，满目繁华都减。湿云乍敛，露浮玉遥峰，相看无厌。渔唱沧浪，荻根灯又闪。

竹垞论分虎词云：“分虎游屐所向，南朔万里，词帙繁富，殆善学北宋者。顷复示我近稿，益精研于南宋诸名家词，乃变而愈上矣。”斯言也，盖即为自己张旗鼓也。是时长调词学南宋者不多，分虎与竹垞同旨，宜其水乳交融矣。案南宋词，格律居音先，而〔齐天乐〕四处去上，分虎竟未遵守，是词律亦有舛误也。惟集中佳句颇多，赋物体亦有弦外意，较秋锦诚不愧弟兄耳。如〔河满子〕《经阮司马故宅》云：“惨澹君王去国，风流司马无家。歌扇舞衣行乐地，只余衰柳栖鸦。赢得名传乐部，春灯燕子桃花。”〔疏影〕《帆影》云：“忽遮红日江楼暗，只认是凉云飞度。待翠蛾帘底凭看，已过几重烟浦。”〔钓船笛〕云：“曾去钓江湖，腥浪黏天无际。浅岸平沙自好，算无如乡里。从今只住鸭儿边，远或泛苕水。三十六陂秋到，宿万荷花里。”此等随手挥洒，别具天然风骨。

（12）厉鹗　字太鸿，钱塘人。康熙五十九年举人，乾隆元年荐举鸿博。有《樊榭山房词》二卷，续集二卷。

齐天乐　　秋声馆赋秋声

簟凄灯暗眠还起，清商几处催发？碎竹虚廊，枯莲浅渚，不辨声来何叶。桐飙又接，尽吹入潘郎，一簪愁发。已是难听，中宵无用怨离别。　阴虫还更切切，玉窗挑锦倦，惊响檐铁。漏断高城，钟疏野寺，遥送凉潮呜咽。微吟惭怯。讶篱豆花开，雨筛时节。独自开门，满庭都是月。

清朝词人，樊榭可谓超然独绝者矣。论者谓其沐浴白石、梅溪，洵是至言。大抵其年、锡鬯、太鸿三人，负其才力，皆欲于宋贤外别树一帜，而窈曲幽深，当以樊榭为最。学者循是以求深厚，则去姜、史不远矣。集中佳处，指不胜缕。如〔国香慢〕《素兰》云：“月中何限怨？念王孙草绿，孤负空香。冰丝初弄清夜，应诉悲凉。玉斫相思一点，算除是连理唐昌。闲阶澹成梦，白凤梳翎，写影云窗。”声调清越，是其本色，亦是其所长。又〔百字令〕云：“万籁生山，一星在水，鹤梦疑重续。拏音遥去，西岩渔父初宿。”无一字不清俊。下云：“林净藏烟，峰危限月，帆影摇空绿。随风飘荡，白云还卧深谷。”炼字炼句，归于纯雅，此境亦未易到。至于造句之工，亦雅近乐笑翁，世有陆辅之，定录入词眼也。如〔齐天乐〕云：“将花插帽，向第一峰头，倚空长啸。”〔高阳台〕云：“秘翠分峰，凝花出土。”〔忆旧游〕云：“溯溪流云去，树约风来，山剪秋眉。”又云：“又送萧萧响，尽平沙霜信，吹上僧衣。凭高一声弹指，天地入斜晖。”诸如此类，是樊榭独到处。

（13）江炳炎　字研南，钱塘人。有《琢春词》。江昱、江昉附。

垂杨　　柳影

轻寒乍暖，算碧阴占地，昼闲庭院。欲折偏难，巧莺空送声千啭。休嫌云暗章台畔，怕纤雨楚腰吹断。正依稀低映江潭，共夕阳飘乱。　辛苦长亭夜半，是摇漾瘦魂，兔华初满。误了闺人，也曾描出春前怨。还教学缀修蛾浅，但漠漠如烟一片。秋来待写疏痕，愁又远。

研南在清代不甚显，然学南宋处，颇有一二神解，与宾谷音趣相同。宾谷得南宋之意趣，研南得南宋之神理，若橙里则句琢字炼，归于纯雅，惟不能深厚，此三江词之工力，皆不能到沉郁地步也。清朝词家多犯此病，故骤览之，居然姜、史复生，深求之，皆姜、史之糟粕而已。

(14) 王策　字汉舒，太仓人。诸生。有《香雪词钞》二卷。时翔附。

薄幸

秋槎题余《香雪词》，似有宋玉之疑，赋此奉答

心花落艳，似寂寞枯禅退院。便吟出晓风残月，那是兰陵真面。只钧天一梦消魂，颜凭泪洗肠轮转。叹雨絮前缘，霜兰现业，负尽三生恩眷。　　却是诗因墨果，休猜做世间情恋。况天荒地老，名闻影隔，东风不认楼中燕。秋坟露溅，倘知音怜我，客嘲肯制招魂换。装来玳瑁，留抵返生香片。

太仓诸王，皆工词翰，汉舒尤为杰出，惜其享年不永，未尽所长，其笔分固甚高也。作词贵在悲郁中见忠厚，若悲怨而激烈，则其人非穷则夭。汉舒〔念奴娇〕《秋思》一首，颇有衰飒气象。如：“浮生皆梦，可怜此梦偏恶。”又云：“看取西去斜阳，也如客意，不肯多耽搁。”皆悲惨语耳，卒至早夭。言为心声，便成词谶矣。汉舒外惟小山为佳。小山工为绮语，才不高而情胜，措语亦自婉雅，无绮

罗恶态。如："病容扶起淡黄时。"又云："燕子寻人巷口，斜阳记不真。"又云："一双红豆寄相思，远帆点点春江路。"又云："灯微屏背影，泪暗枕留痕。"皆情词凄惋，晏、欧之流亚也。

（15）史承谦　字位存，宜兴人。诸生。有《小眠斋词》四卷。

双双燕　过红桥怀立甫

春愁易满，记红到樱桃，乍逢欢侣。几番携手，醉里听残杜宇。曾向花源问渡，是水国风光多处。可应酒滞香留，不记江南春雨。　南浦，清阴如故，谁料得重来，暗添凄楚。月蓬烟棹，载了冷吟人去。可惜千条弱柳，更难系轻帆频住。如今绿遍桥头，尽作情丝恨缕。

清词中其年雄丽，竹垞清丽，樊榭幽丽，位存则雅丽，皆一代艳才，位存稍得其正而已。如："团扇先秋生薄怨，小池风不断。"神似温、韦语，然非心中真有怨情，亦不能如此沉挚。他词如〔采桑子〕云："泪滴寒花，渐渐逢人说鬓华。"〔满江红〕云："更不推辞花下酒，最难消受黄昏雨。"非天才学力兼到者不能。同时如朱云翔、吴荀叔、朱秋潭、汪对琴诸君，皆以词名东南，然概不如位存也。

（16）任曾贻　字淡存，荆溪人。诸生。有《矜秋阁词》一卷。

百字令

立春前一日，寄怀储文漪津

短篷听雨。共江千秋晚，几番潮汐。不道烟帆分别浦，一水迢迢长隔。贳酒当垆，敲诗午夜，弹指成今昔。双鱼何处？飘摇尺素难觅。　　又是雪霁明窗，炉温小阁，残腊余今夕。想到南枝初破蕊，一点新春消息。稳卧湖林，鬓丝无恙，肯便闲吟笔。甚时花底，玉尊同醉春碧。

储长源云：“淡存词删削靡曼，独存性灵，于宋人不沾沾袭其面貌，而能吸其神髓，一语之工，令人寻味无穷。”余按淡存与位存、遂佺（朱云翔，字遂佺，元和人。有《蝶梦词》)，工力相等。《矜秋》一集，卓有声誉，而律以沉着两字，尚未能到，一览便知清人之词，然其用力亦勤矣。宜兴多彦，二史、储、任皆负清才，承红友之律，而能以妍丽语出之。至周介存，遂得独辟奥窍，自抒伟论，其于阳湖，洵可揖让坛坫，不得以附庸目之也。淡存他作如〔临江仙〕云：“砧声今夜月，灯影昔年情。”〔高阳台〕云：“何因得似红襟燕，认朱楼飞入伊家。”〔西子妆〕云：“相思一点落谁家？叹匆匆欲留难住。”皆佳。惟〔买陂塘〕云：“花开常怕春归早，那更几经烟雨。”〔祝英台〕云：

“眼看红紫飘残，蔷薇开也，尚留得春光几许?”则摹仿稼轩，太觉形似矣。

(17) 过春山　字葆中，吴县人。诸生。有《湘云遗稿》二卷。

倦寻芳

过废园，见牡丹盛开，有感

絮迷蝶径，苔上莺帘，庭院愁满。寂寞春光，还到玉阑干畔。怨绿空余清露泣，倦红欲倩东风浣。听枝头，有哀音凄楚，旧巢双燕。漫伫立，瑶台路杳，月珮云裳，已成消散。独客天涯，心共粉香零乱。且共花前今夕酒，洛阳春色匆匆换。待重来，只有断魂千片。

湘云笔意骚雅，为吾乡词家之秀，论其品格，雅近樊榭。吴竹屿称其词“如雪藕冰桃，沁人醉梦”，此言是也。余谓湘云词，聪秀在骨，咀嚼无厌。其人独立不惧，当时坛坫，皆未尝附和，所谓不随风气者是也。吾乡词人至多，论不附声气，独行其是者，仅葆中一人而已。他如潘氏诸子，问梅七子，贵胄标榜，皆不如湘云矣。葆中词如〔明月生〕《南浦》云：“几点萍香鸥梦稳，柳棉吹尽春波冷。”又：“回首桃源仙路迴，一声欸乃川光暝。”〔瑞鹤仙〕云：“凄恻。西泠春晚，天竺云深，空怀孤洁。荷衣未葺，天涯愁倚岩石。念幽人去后，峰南峰北，多少啼猿唤客。暗伤心欲荐江蓠，夜凉露白。”皆不事雕琢，以气度胜者，是之谓大雅。

（18）张惠言　字皋文，武进人。有《茗柯词》。琦附。

木兰花慢　　杨花

尽飘零尽了，谁人解当花看。正风避重帘，雨回深幕，云护轻幡。寻他一春伴侣，只断红相识夕阳间。未忍无声坠地，将低重又飞还。　疏狂情性，算凄凉耐得到春阑。便月地和梅，花天伴雪，合称清寒。收将十分春恨，做一天愁影绕云山。看取青青池畔，泪痕点点凝斑。

皋文《词选》一编，扫靡曼之浮音，接风骚之真脉，直具冠古之识力者也。词亡于明，至清初诸老，具复古之才，惜未能穷究源流。乾、嘉以还，日就衰颓，皋文与翰风出，而溯源竟委，辨别真伪，于是常州词派成，与浙词分镳争先矣。皋文〔水调歌〕五章，既沉郁，又疏快，最是高境。论者辄以为疏于律度，洵然，然不得以此少之。如首章云：“难道春花开落，又是春风来去，便了却繁华。花外春来路，芳草不曾遮。”次章云：“招手海边鸥鸟，看我胸中云梦，蒂芥近如何？楚越等闲耳，肝胆有风波。”三章云：“珠帘卷春晓，蝴蝶忽飞来。游丝飞絮无绪，乱点碧云钗。肠断江南春思，黏着天涯残梦，剩有首重回。银蒜且深押，疏影任徘徊。”五章云：“晓来风，夜来雨，晚来烟。是他酿就春色，又断送流年。”热肠郁思，全自风骚中来，所以不可及也。《茗柯》存词，止四十六首，可谓简而又简。仁和谭仲修，拟为评注，而迄未能就，甚可惜也。弟琦，字翰风，与皋文同撰《宛邻词选》，虽町畦未尽，而奥窔始开。其所作诸词，亦深美闳约，振北宋名家之绪。如〔南浦〕云：“惊回残梦，又起来，清夜正三更。花影一枝枝瘦，明月满中庭。道是江南绮陌，却依然小阁倚银屏。怅海棠已老，心期难问，何处望高城？　忍记当时欢聚，到花时，长此托春酲。别恨而今谁诉？梁燕不曾醒。帘外依依香絮，算东风吹到几时停？向鸳衾无奈，啼鹃又作断肠声。”妍丽流转，雅近少游，宜其负盛名于江南也。其子仲远序《同声集》有云：“嘉庆以来名家，皆从此出。”信非虚语。周止斋益穷正变，潘四农又持异论，要之倚声之学，至二张而始尊，此可为定论耳。

（19）周济　字保绪，荆溪人。有《止庵词》。

渡江云　　杨花

春风真解事，等闲吹遍，无数短长亭。一星星是恨，直送春归，替了落花声。凭阑极目，荡春波万种春情。应笑人、春粮几许，便要数征程。　冥冥，车轮落日，散绮余霞，渐都迷幻景。问收向红窗画箧，可算飘零？相逢只有浮萍好，奈蓬莱东指，弱水盈盈。休更惜，秋风吹老莼羹。

茗柯《词选》出，倚声之学日趋正鹄。张氏甥董晋卿，亦能踵美。止庵又切磋于晋卿，而持论益精。其言曰："慎重而后出之，驰骋而变化之，胸襟酝酿，乃有所寄。"又曰："词非寄托不入，专寄托不出。一物一事，引伸触类，意感偶生，假类必达，斯入矣。万感横集，五中无主，赤子随母，笑啼由人，缘剧悲喜，能出矣。"至其所撰《词辨》及《宋四家词筏》，推明张氏之旨而广大之，此道遂与于著作之林，与诗赋文笔，同其正变也。止庵自作诸词，亦有寄旨，惟能入而不能出耳。如〔夜飞鹊〕之《海棠》、〔金明池〕之《荷花》，虽各有寓意，而词涉隐晦，如索枯谜，亦是一蔽。余谓词本于诗，当知比兴固已。究之《尊前》《花外》，岂无即景之篇？必欲深求，殆将穿凿。皋文与止庵，虽所造之诣不同，而大要在有寄托，尚蕴藉，然而不能无蔽。故二家之说，可信而不可泥也。

(20) 项鸿祚　字莲生，钱塘人。有《忆云词》四卷。

兰陵王　春晚

晚阴薄，人在酴醿院落。秋千罢，还倚琐窗，花雨和烟冷银索。近来情绪恶，遮莫，青春过却。单衣减，沉水自薰，酒病经年怯孤酌。　低低燕穿幕，任笺绿绡红，心事难托。柳丝系梦轻飘泊。叹衾凤羞展，镜鸾空掩，思量睡也怎睡着。恨依旧寂寞。　　妆阁，闭鱼钥。怕唱到阳关，箫谱慵学。夜占蛛喜朝灵鹊。只目断千里，锦帆天角。玲珑帘月，照见我，又瘦削。

莲生词甲乙丙丁稿，意学梦窗，集中拟体至多，其才力固高人一等，持律亦细，惟其措辞终伤滑易。余始喜读之，与郭频伽等。继知频伽不可学，遂屏不复观，独爱《忆云》矣。又见同时词家推崇甚至，谭仲修云：“有白石之幽涩，而去其俗；有玉田之秀折，而无其率；有梦窗之深细，而化其滞，殆欲前无古人。”黄韵甫曰：“《忆云词》古艳哀怨，如不胜情，猿啼断肠，鹃泪成血，不知其所以然也。”初不知一入其彀，必至儇薄也。盖莲生天资聪俊，故出语能沁人心脾，且律度谐合，涩体诸词，一经炉锤，无不谐妥。于是论频伽则严，论忆云则宽，实则词律之细，固郭不如项，而词品之差，则相去无几也。（集中如〔河传〕云：“梧桐叶儿风打窗。”〔南浦〕《咏柳》云：“且去西泠桥畔等。”〔卜算子〕云：“也似相思也似愁。”〔减兰〕云：“只有垂杨，不放秋千影过墙。”〔百字令〕云：“归期自问，也应芍药开矣。”诸如此类，皆徒作聪明语，与南北曲几不能辨。）其丁稿自序云：“不为无益之事，何以遣有涯之生？”亦可哀其志矣。以成容若之贵，项莲生之富，而词皆悲艳哀怨，所谓伤心人别有怀抱也。

（21）蒋春霖　字鹿潭，江阴人。有《水云楼词》二卷。

扬州慢

癸丑十一月二十七日，贼趋京口，报官军收扬州

野幕巢乌，旗门噪鹊，谯楼吹断笳声。过沧桑一霎，又旧日芜城。怕双燕、归来恨晚，斜阳颓阁，不忍重登。但红桥风雨，梅花开落空营。　劫灰到处，便遗民、见惯都惊。问障扇遮尘，围棋赌墅，可奈苍生。月黑流萤何处？西风黯、鬼火星星。更伤心南望，隔江无限峰青。

嘉庆以前，词家大抵为其年、竹垞所牢笼，皋文、保绪，标寄托为帜，不仅仅摹南宋之垒，隐隐与樊榭相敌。此清朝词派之大概也。至鹿潭而尽扫葛藤，不傍门户，独以风雅为宗，盖托体更较皋文、保绪高雅矣。词中有鹿潭，可谓止境。谭仲修虽尊庄中白，陈亦峰亦崇扬之，究其所诣，尚不足与鹿潭相抗也。词有律有文，律不细非词，文不工亦非词。有律有文矣，而不从沉郁顿挫上着力，或以一二聪明语见长，如《忆云词》类。尤非绝尘之技也。鹿潭律度之细，既无与伦，文笔之佳，更为出类，而又雍容大雅，无搔头弄姿之态。有清一代，以水云为冠，亦无愧色焉。复堂论水云曰：“文字无大小，必有正变，必有家

数。水云词固清商变徵之声，而流别甚正，家数颇大，与成容若、项莲生，二百年中，分鼎三足。咸丰兵事，天挺此才，为倚声家老杜。而晚唐两宋，一唱三叹之意，则已微矣。”（《箧中词》五）余谓复堂以鹿潭得流别之正，此言极是，惟以成、项二君并论，则鄙意殊不谓然。成、项皆以聪明胜人，乌能与水云比拟？且复堂既以杜老比水云，试问成、项可当青莲、东川欤？此盖偏宕之论也。鹿潭不专尚比兴，〔木兰花〕〔台城路〕固全是赋体，即一二小词如〔浪淘沙〕〔虞美人〕亦直言本事，绝不寄意帷闼，是真实力量，他人极力为之，不能工也。至全集警策处，则又指不胜偻。如〔木兰花慢〕云：“云埋蒋山自碧，打空城、只有夜潮来。”又云：“看莽莽南徐，苍苍北固。如此山川。钩连，更无铁锁，任排空、樯舻自回旋。寂寞鱼龙睡稳，伤心付与秋烟。”又〔甘州〕云：“避地依然沧海，随梦逐潮还。一样貂裘冷，不似长安。”又云：“引吴钩不语，酒罢玉犀寒。总休问、杜鹃桥上，有梅花、且向醉中看。南云暗，任征鸿去，莫倚阑干。”〔凄凉犯〕云：“疏灯晕结，觉霜逼帘衣自裂。”〔唐多令〕云：“哀角起重关，霜深楚塞寒。背西风归雁声酸。一片石头城上月，浑怕照旧江山。”皆精警雄秀，决非局促姜、张范围者，可能出此也。

（22）周之琦　字稚圭，祥符人。嘉庆十三年进士，官广西巡抚。有《金梁梦月词》。(应在鹿潭前)

三姝媚　　海淀集贤院

交枝红在眼。荡帘波香深，镜澜痕浅。费尽春工，占胜游、惟许等闲莺燕。步屧廊回，盈褪粉、蛛丝偷罥。小影玲𪩘，冷到梨云，便成秋苑。　容易题襟吹散。又酒逐花迷，梦将天远。马系垂杨，但翠眉还识，旧时人面。暗数韶华，空笑我、樱桃三见。剩有盈盈蝴蝶，西窗弄晚。

梦月词浑融深厚，语语藏锋，北宋瓣香，于斯未坠（黄韵甫语）。余谓稚圭词，托体至高，诚有如韵甫之言者。近时论者与鹿潭并称，似尚非确当。鹿潭集中，无酬应之作，梦月则社课特多，即此而论，已不如水云矣。且悼亡诸作，专录一卷，虽元相才多，未免士衡辞费。至《心日斋十六家词选》，截断众流，金针暗度，纵不如皋文、保绪之高，要亦倚声家疏凿手也。

(23) 戈载　字顺卿，吴县人。诸生，官国子监典簿。有《翠薇花馆词》三十九卷。

兰陵王　　和周清真韵

画桥直，明镜波纹绉碧。轻烟绕，歌榭舞楼，一派迷离黯春色。东风遍故国，吹老关津怨客。长堤畔千缕翠条，时见流莺度金尺。　萍踪半陈迹。记侧帽题襟，香霭摇席。天涯今又逢寒食。叹携手人远，俊游难再。飞花飞絮散旧驿，送潮过江北。　　悲恻，乱愁积。对孤馆残灯，无限凄寂。青门望断情何极？乍倚枕寻梦，怕闻邻笛。那堪窗外，更细雨，夜半滴。

清代词集之富，莫如迦陵，顺卿《翠薇词》，乃更过之，而泥沙不除，亦与迦陵相等。集中佳构，如〔山亭宴〕《秋晚游天平山》、〔霜叶飞〕《落叶》、〔垂杨〕《题吴伊人白门杨柳图》、〔春霁〕《柳影》、〔露华〕《苔痕》、〔南浦〕《春水》《秋水》二首、〔步月〕《春夜闲步》、〔惜红衣〕《皇甫墩观荷》、〔琐寒窗〕《秋晚》、〔秋宵吟〕《题箨石老人秋叶图》等作，精心结撰，文字音律，两臻绝顶，宜其独步江东，一时无与抗衡也。顺卿论词律极精，于旋宫八十四调之旨，研讨至深，故其自称，在能辨阴阳，能分宫调。又白石旁谱，当时词家，不甚明了，顺卿能一一按管，数百年聚讼纷如，望而却步者，一旦大畅其理，此诚绝顶聪明也。惟集中平庸芜浅诸作，触目皆是，读者亦以其守律之严，反恕其行文之劣，无怪为谢枚如所讥也。顺卿词开卷即有《龙涎香》《白莲》《莼蝉》等题，此当日学南宋者几成例作习气，愈觉可厌。且顺卿一贡士耳，太学典簿，未尝一履任也。而自十三卷后，交游渐广，攀援渐高，中丞、方伯、观察、太守、司马、明府历碌满纸，所作无非应酬，虚声愈大，心灵愈短，岂芝麓之于迦陵乎？抑何其不惮烦也？至为麟见亭河帅题《鸿雪因缘图》，前后合一百六十阕，多至四卷，观其自述，知配合雕镂，费尽苦心。然以《花间》《兰畹》之手笔，加以引商刻羽之功夫，乃为钜公谱荣华之录，摹德政之碑也。言之不足，又长言之，若以为有厚幸焉。此真极词场之变矣。

（24）庄棫　字中白，丹徒人。有《蒿庵词》。

高阳台　　长乐渡

长乐溪边，秦淮水畔，莫愁艇子曾携。一曲西河，尊前往事依稀。浮萍绿涨前溪遍，问六朝遗迹都迷。映颇黎，白下城南，武定桥西。　　行人共说风光好，爱沙边鸥梦，雨后莺啼。投老方回，练裙十幅谁题？相思子夜春还夏，到欢闻、先已凄凄。更休提，柳外斜阳，烟外长堤。

中白与谭复堂并称，其词穷极高妙，为道、咸间第一作手。平生论词宗旨，见于《复堂词序》。其言云：“夫义可相附，义即不深。喻可专指，喻即不广。托志房帷，眷怀身世，温、韦以下，有迹可寻。然而自宋及今，几九百载，少游、美成而外，合者鲜矣。又或用意太深，义为辞掩，虽多比兴之旨，未发缥缈之音。近世作者，竹垞撷其华，而未芟其芜。茗柯溯其源，而未竟其委。”又曰：“自古词章，皆关比兴。斯义不明，体制遂舛。狂呼叫嚣，以为慷慨。矫其弊者，流为平庸。风诗之义，亦云渺矣。”（《谭复堂词序》）先生此论，实具冠古之识，非大言欺人也。其词深得比兴之致。如〔蝶恋花〕四章，即所谓“托志房帷，眷怀身世”也。首章云：“城上斜阳依绿树。门外斑骓，过了偏相顾。玉勒珠鞭何处住？回头不觉天将暮。”“回头”七字，感慨无限。下云：“风里余花都散去。不省分开，何日能重遇？凝睇窥君君莫误，几多心事从君诉。”声情酸楚，却又哀而不伤。次章云：“百丈游丝牵别院。行到门前，忽见韦郎面。欲待回身钗乍颤，近前却喜无人见。”心事曲曲传出，钗颤身回，见得非常周折。下云：“握手忽忽难久恋。还怕人知，但弄团团扇。强得分开心暗战，归时莫把朱颜变。”韬光匿彩，忧谗畏讥，可为三叹。三章云：“绿树阴阴晴昼午，过了残春，红萼谁为主？宛转花幡勤拥护，帘前错唤金鹦鹉。”词殊怨慕，所遇不合也。故下云：“回首行云迷洞户。不道今朝，还比前朝苦。”悲怨已极。结云：“百草千花羞看取，相思只有侬和汝。”怨慕之深，却又深信不疑，非深于风骚者，不能如此忠厚。四章云：“残梦初回新睡足。忽被东风，吹上横江曲。寄语归期休暗卜，归来梦亦难重续。”决然舍去，中有怨情。下云：“隐约遥峰窗外绿。不许临行，私语频相嘱。过眼芳华真太促，从今望断横波目。”天长地久之情，海枯石烂之恨，不难得其缠绵沉着，而难得温厚和平耳。故先生之词，确自皋文、保绪中出，而更发挥光大之也。

（25）谭廷献　字仲修，仁和人。有《复堂类稿》，词附。

金缕曲　唐栖月夜，怀劳平甫

木叶飞如雨。绕空舟，惟闻暗浪，悄无人语。篷背新霜侵衣袂，冷压釭花不吐。料此际微吟闭户。三径萧萧蓬蒿满，记往前裙屐欢谁补？春去也，惜迟暮。

飘零我亦泥中絮。叹明明入怀月色，夜深还去。芳草变衰浮云改，况复美人黄土。算生作有情原误。莫倚平生丹青手，看寻常颜面皆行路。哀与乐，等闲度。

仲修词取径甚高，源委深达，窥其胸中眼中，非独不屑为陈、朱，抑且上溯唐五代，此浙词之变也。仲修之言曰："南宋词敝，琐屑饾饤。朱、厉二家，学之者流为寒乞。枚庵高朗，频伽清疏，浙词为之一变。"余谓吴、郭二子，不足当此语，变浙词者，复堂也。其〔蝶恋花〕六章，美人香草，寓意甚远。余最爱"玉枕醒来追梦语，中门便是长亭路"。又："惨绿衣裳年几许？争禁风日争禁雨。"又："语在修眉成在目，无端红泪双双落。"又："一握鬟云梳复裹，半庭残日忽忽过。"又："连理枝头侬与汝，千花百草从渠许。"又："遮断行人西去道，轻躯愿化车前草。"此等词直是温、韦，决非专学南宋者可拟，而又非迦陵、西堂辈轻率伎俩也。所录《箧中词》二集，搜罗富有，议论正大，其论浙词之病，尤为中肯。余故谓：变浙词者，复堂也。

（26）王鹏运　字幼遐，临桂人。有《半塘词稿》。

齐天乐　　秋光

新霜一夜秋魂醒，凉痕沁人如醉。叶染新黄，林凋暗绿，野色犹堪描绘。危楼倦倚，对一抹斜阳，冷鸦翻背。怅触愁心，暮烟明灭断霞尾。　遥山青到甚处？淡云低蘸影，都化秋水。蟹簖灯疏，雁汀月小，滴尽鲛人清泪。孤檠绽蕊，算夜读秋窗，尚饶滋味。秋落江湖，曙光摇万苇。

幼遐早岁官中书，与上元端木埰、吴县许玉瑑、临桂况周颐，更叠唱和，有《薇省同声集》之刻。其时子畴、鹤巢，年齿已高，夔笙最年少。继而子畴、鹤巢，相继徂谢，幼遐又以直谏去官，客死吴下，独夔笙屑涕新亭，栖迟海澨，而身亦垂垂老矣。广西词境之高，实王、况二公之力也。《四印斋词刻》尚在京师，时仅有《东坡乐府》至戈顺卿《词林正韵》耳。其后日益增刊，遂成巨制。晚年又自订《半塘定稿》，体备众制，无一不工。近三十年中，南则小坡，北则幼遐，当时作者，未能或之先也。朱丈沤尹从半塘游，而专力梦窗，其所诣尤出夔笙之上。粤使归后，即息影吴门，尝与小坡往返酬和，极一时盍簪之乐。迨辛壬以后，身经丧乱，词不轻作。（朱丈尝谓“理屈词穷”。此虽戏言，亦寓感喟焉。）又值小坡作古，吟侣益稀，适夔笙寓沪，数过从谈艺，春江花月，间及倚声，无非汐社遗民之泪矣。因论幼遐，并及朱、况，藉见三十年来词学之消息焉。

(27) 郑文焯　字叔问，汉军。有《瘦碧》《冷红》《比竹余音》《苕雅》诸集，晚订《樵风乐府》。

寿楼春

秋感，次冯梦华同年韵

听吴讴消魂。正江城角冷，雨驿灯昏。记得残鹃啼遍，乱山红春。明镜老，如花人，寄故裙遥遥乌孙。念浊酒谁呼？零烟自语，愁满一筝尘。　　沧波苑空林曛。渐题香秀笔，不点歌尊。最忆烟沉荒戍，月孤长门。砧杵急，悲从军，赋楚萍飘飘无根。怎说与黄华，西风泪痕吹满巾。

叔问于声律之学，研讨最深，所著《词源斠律》，取旧刻图表，一一厘正，又就八十四调住字，各注工尺，皆精审可从。至其所作词，炼字选声，处处稳洽，而语语缠绵宕动，清末论词笔之清，无逾叔问者矣。道、咸以来，六十年中，南国才人，雅词日出，审音订律，独有翠薇。而孙月坡掉鞅词坛，分题唱和，不欲为筝琵俗响。叔问以承平贵胄，接继其武，虎山、邓尉间，时见吟屐，较枚庵、频伽相去不可道里计也。先是，湘中王壬秋以文字雄一世，自负词笔不亚时彦，及见叔问作，遂敛手谢不及，始壹意于选诗。故湘社词人，如程子大、易实甫弟兄、陈伯弢辈，咸俯首请益。而叔问临文感发，不少假借，宦隐吴皋，声溢四宇，晚近词人之福，未有如叔问者也。小城葺宇，老鹤寄音，握手笑言，一如昨日，人琴俱杳，能无慨然！

曲学通论

自叙

乐府亡而词兴，词亡而曲作。金元之间，作者至富，大率假仙佛任侠、里巷男女之辞，以抒其抑塞磊落不平之气。迨温州、海盐、昆山诸调继起，南声靡靡，几至充栋。其间宫调之正犯、南北之配合、科介节拍、清浊阴阳，咸有定律，不可假借。即深于此道者，一或不慎，辄逸绳尺，此岂易事哉！丁巳之秋，余承乏国学，与诸生讲习斯艺，深惜元明时作者辈出，而明示条例，成一家之言，为学子导先路者，卒不多见。又自逊清咸、同以来，歌者不知律，文人不知音，作家不知谱，正始日远，牙旷难期，亟欲荟萃众说，别写一书。因据王骥德《曲律》为本，旁采挺斋、丹邱、词隐、伯明诸谱，及陶九成、王元美、臧晋叔、李笠翁、毛稚黄、朱竹坨、焦里堂各家之言，录成此书。又作《家数》一篇，略陈流别，以资研讨。己未仲冬，删汰庞杂，付诸手民。大抵作词规范，粗具本末，而循声造谱，仍未疏论，盖口耳之间，笔不能达也。惟罅漏纰缪，在所不免，大雅君子，尚其匡正之。长洲吴梅。

第一章　曲原

剧曲之兴，由来已久，而词变为曲，其间迁嬗之迹，皆在有宋一代。世之论者，以其勃起于金元之际，遂疑出自异域，其实非也。曲之为道，托体既卑，为时又近。宋元史志，与《四库》集部，均不著录。后世儒硕，皆鄙弃不复齿及。而治此艺者，大都不学之徒，即有一二文士，喜其可以改易风俗，亦不过余力及此，未闻有观其会通、窥其奥窔者。此亦文学家一憾事也。夫杂剧之名，见于《宋志》。宋时每春秋圣节三大宴，小儿队、女弟子队各进杂剧队舞，见《宋史·乐志》。其时歌词，今无可考，惟教坊致语，皆一时文人为之。宋人集中，多乐语一种，大抵铺陈皇猷颂扬藻饰之词。其文节目颇繁：一、教坊致语，二、口号，三、勾合曲，四、勾小儿队，五、队名，六、问小儿队，七、小儿致语，八、勾杂剧，九、放小儿队，十、勾女童队，十一、队名，十二、问女童队，十三、女童致语，十四、勾杂剧，十五、放女童队。此天子大宴时用之。民间宴会伎乐，至为简略，而歌词独存。如曾慥《乐府雅词》所录，谓之“大曲”，所用词牌，有〔水调歌〕〔道宫薄媚〕〔逍遥乐〕诸曲。其中节目，多寡不一，有散序、排靸、遍攧、正攧、入破、虚催、实催、衮遍、歇拍、煞衮诸名。其词有赋物者，有分咏故事者，初无定则也。陈旸《乐书》云：“大曲前缓叠不舞，至入破则羯鼓、襄鼓、大鼓与丝竹合作，勾拍益急。舞者入场，投节制容，故有催拍歇拍。姿制俯仰，百态横出。”据此，则当时歌舞之状，犹可想见。论曲之原起，当孕育于此焉。盖词之与曲，犂然为二，其蝉蜕之渐，不易定断。虽大曲舞态，与后世不同，而勾放舞队，已开后人科介之先，大遍诸词，又为金元套数之始。至如传奇家记一人一事，备述离合悲愉之况，其体虽为创见，顾如赵德麟〔蝶恋花〕十阕，述《会真记》事，分段歌之，视后代戏曲之格律，更具体而微。金董解元《西厢》，仍德麟之旧，而杂剧体例，遂因之不变。是曲体虽成于解元，而其因固造端于赵宋。迨胡元入主中华，所用胡乐，嘈杂缓急之间，旧词至不能按，乃更造新声，而北曲大备。天意若悯文明禹甸，拘文牵义者之无所措其手足，别辟一新文界以处之，至不惜破华夏之防，放此异彩，以吹笳鸣角之雄风，汰金粉靡丽之末习，此亦文学上至奇之局也。南人好事者，又推演两宋之旧制，力求雅正，而南曲以兴。由是南北两家，各树旗鼓。北剧盛于元时，实甫最称淹雅，至明初尚不失其传。传奇定于永嘉，《琵琶》一记，卓然千古，《荆钗》《拜月》，望尘莫追。终明之世，南词盛行，流传诵习，卷帙至多。实则南北之面目虽殊，而精神终一。北人虽广罗词藻，以示典雅，而反失其真。南人虽力摹伦荒口吻，以昭真率，而诘屈聱牙，适形其弱。王元美曰：“北主劲切雄壮，南主清峭柔婉；北字多而调促，促处见筋，南字少而调缓，缓处见眼；北宜和歌，南宜独奏。”洵深造有得之言也。此南北曲之大要也。

第二章　宫调

宫调之说，盖微渺矣。周德清习而不察，沈词隐语焉不详。或问曲何以谓宫调？何以有宫又复有调？何以宫之为六，调之为十一？既总之为十七宫调矣。何以今之用者，北仅十四，南仅十三？又何以别有十三调之名也？曰：此宋人俗乐之遗意，未尽亡者也。宫调之立，本之五声十二律，在古时至为详备，而今多散亡也。律吕诸说，宏博浩繁，无暇殚述，律吕言隔八相生之理，书籍正多，以无关词曲略之。第撮其要，则律之自黄钟以下凡十二也；声之自宫、商、角、徵、羽而外，合变宫、变徵，凡七也。宋人所谓八十四调者，以律为经，以声为纬，乘之每声得十二调，合十二律计之，则八十四调，此古法也。然不胜其繁，且乐工又不尽用。宋张炎《词源》云："今雅俗止行七宫十二调。"案：叔夏生于宋末入于元，当时只有七宫十二调，则古法久废矣。于是省之为四十八宫调。四十八宫调者，亦以律为经，以声为纬。内七声之中，去徵声及变宫、变徵，仅省为四，以声之四，乘律之十二，每律得四调，合十二律，则四十八调也。四十八调中，凡以宫声乘律，皆名曰宫，以商、角、羽三声乘律，皆名曰调。今备列其目，以佐参订云。

黄钟： 宫俗名正宫，商俗名大石调，角俗名大石角调，羽俗名般涉调。

大吕： 宫俗名高宫，商俗名高大石调，角俗名高大石角，羽俗名高般涉调。

太蔟： 宫俗名中管高宫，商俗名中管高大石调，角俗名中管高大石角，羽俗名中管高般涉调。

夹钟： 宫俗名中吕宫，商俗名双调，角俗名双角调，羽俗名中吕调。

姑洗： 宫俗名中管中吕宫，商俗名中管双调，角俗名中管双角调，羽俗名中管中吕调。

中吕： 宫俗名道宫，商俗名小石调，角俗名小石角调，羽俗名正平调。

蕤宾： 宫俗名中管道宫，商俗名中管小石调，角俗名中管小石角调，羽俗名中管正平调。

林钟： 宫俗名南吕宫，商俗名歇指调，角俗名歇指角调，羽俗名高平调。

夷则： 宫俗名仙吕宫，商俗名商调，角俗名商角调，羽俗名仙吕调。

南吕： 宫俗名中管仙吕宫，商俗名中管商调，角俗名中管商角调，羽俗名中管仙吕调。

无射： 宫俗名黄钟宫，商俗名越调，角俗名越角调，羽俗名羽调。

应钟：宫俗名中管黄钟宫，商俗名中管越调，角俗名中管越角调，羽俗名中管羽调。

此所谓四十八调也。自宋以来，四十八调者，不能具存，南宋时止存七宫十二调。今就《中原音韵》所载者核之，止六宫十一调，此所以有十七宫调之名也。第就其所属各曲言之，则声调又自不同，其说如下。加点者皆存。

·仙吕宫清新绵邈　·南吕宫感叹伤悲

·中吕宫高下闪赚　·黄钟宫富贵缠绵

·正宫惆怅雄壮　·道宫飘逸清幽以上六宫。

·大石调风流蕴藉　·小石调旖旎妩媚

高平调条拗滉漾拗旧误拘，南词作羽调。

·般涉调拾掇坑堑

歇指调急并虚歇　商角调悲伤宛转南亡北存。

·双调健捷激袅　·商调凄怆怨慕

角调呜咽悠扬　宫调典雅沉重四十八调中，无宫调，未详其理。

越调陶写冷笑以上十一调。

以四十八调，较十七宫调，已亡佚泰半矣。顾自元以来，北亡其三，歇指调、角调、宫调。南亡其四，即前北词三调。合一商角调。故北仅十四，南仅十三也。继又自十七宫调而外，变为十三调。十三调者，盖所存六宫，不名为宫，改称为调。如仙吕、黄钟、正宫、中吕、南吕、道宫，但呼为调也。明蒋惟忠著《十三调谱》，即用此名，惟南曲有之，此变之最晚者也。宫调之中，有自古所不能解者，宫声于黄钟起宫，不曰黄钟宫，而曰正宫；于林钟起宫，不曰林钟宫，而曰南吕官，于无射起宫，不曰无射宫，而曰黄钟宫。其余各宫，又各立名色。盖今正宫实黄钟也，而黄钟实无射也。沈括所云“今乐声音出入，不全合古法，但略可配合，虽国工亦莫知其所因”者，此也。又古调声之法，黄钟之管最长，长则极浊；无射之管最短，按应钟又短于无射，惟此律皆为中管，自来无调，故缺而不论，盖中管废久矣。短则极清。且五音中，宫、商宜浊，徵、羽宜清。今正宫曰“惆怅雄壮”近浊，越调曰“陶写冷笑”近清，似矣。独无射之黄钟是清律也，而曰“富贵缠绵”，又近浊声，殊不可解。此或古人误将无射之黄钟，作黄钟之正宫耳。或问各曲之隶属于各宫调下，亦有说乎？曰：各曲有悲愉刚柔之不同，各宫调亦有高下卑亢之异，管色之间，更有声度抗坠之别。于是以曲声之高低哀乐，取其相类，分属各宫各调之下，而笛色亦酌定其尺度焉。按古笛各随律定制，共十二笛，今则止有一笛矣。然古人先有词而后按律，今乐则先有律而后有词。故各曲句之长短，字之多寡，声之平仄，又各准所谓仙吕“清新绵邈”，越调“陶写冷笑”者，以分协之。各宫各调，部署甚严，如卒徒之各有主帅，不得陵越焉。宋之诗余亦有注明宫调，屯田、白石，皆能自谱自歌。其时作者踵起，家擅专门，今皆亡不得见。所相沿可考，以不坠古乐之一线者，仅此十三宫调而已。南北之律，初无二政，北之歌也，必和以弦索，南曲无论何宫何调，按之一拍足矣。在作法之始，非北严而南宽，自《琵琶》《拜月》二记出，创为“不寻宫数调”，而后之作者，多孟浪其词、混淆错乱，此学古人之失也。

第三章　调名

曲之调名，今俗曰牌名，始于汉之〔朱鹭〕〔石流〕〔艾如张〕〔巫山高〕，梁陈之〔折杨柳〕〔梅花落〕〔鸡鸣高树巅〕〔玉树后庭花〕等篇。于是词则有《金荃》《兰畹》《花间》《草堂》诸调，曲则有金元剧戏诸调。北词诸调，载天台陶九成《辍耕录》及涵虚子《太和正音谱》。南词诸调，则毗陵蒋惟忠《南九宫十三调谱》，吴江沈宁庵《南曲谱》，胪列甚备。顾词之与曲，实分两途，间有摭采词名入南北曲者，亦不多见。以北曲论，金则有〔醉落魄〕〔点绛唇〕〔满江红〕〔沁园春〕类，元则有〔哨遍〕〔醉花阴〕〔八声甘州〕〔满庭芳〕〔秦楼月〕类，或稍易字句，或止用其名，尽变其调。以南曲论，则小令如〔卜算子〕〔生查子〕〔忆秦娥〕〔临江仙〕类，长调如〔喜迁莺〕〔称人心〕〔意难忘〕类，止用作引曲，不加节拍；过曲中如〔八声甘州〕〔桂枝香〕〔尾犯序〕类，亦止用其名，尽变其句调。其名虽仍宋词之旧，而其词句之变异，自金至元，其间变革，无可考订，盖视古乐府，不知几更沧桑矣。北曲牌名，其意义可考者，颇不多觏。至如〔呆骨朵〕〔者刺古〕〔阿纳忽〕〔唐兀歹〕诸名，大率取当时方言，今人莫识其义。南词诸牌，亦颇不一致。有取古人诗词中语名者，如〔鹧鸪天〕则取郑嵎“家住鹧鸪天”，〔青玉案〕则取张衡《四愁诗》语，〔粉蝶儿〕则取毛泽民“粉蝶儿共花同活”。有以地名者，如〔梁州序〕、〔八声甘州〕〔伊州令〕之类。有以音节名者，如〔步步娇〕〔急板令〕〔节节高〕〔滴溜子〕〔双声子〕之类。其他无所取义，或以时序，或以人物，或以花鸟，或偶触所见而名者，纷错不可胜纪。又有杂犯诸调名者，如两调合成为〔锦堂月〕、三调合成为〔醉罗歌〕、四五调合成为〔金络索〕、四五牌全调连用为〔雁鱼锦〕。或有明言几犯者，如〔二犯江儿水〕、〔四犯黄莺儿〕、〔六犯清音〕、〔七犯玉玲珑〕，又有八犯为〔八宝妆〕、九犯为〔九疑山〕、十犯为〔十样锦〕、十二犯为〔十二红〕、十三犯为〔十三弦〕、三十犯为〔三十腔〕类。此皆文人狡狯，实则无甚深义。又有一调分为两宫，而声各不同，句法全异者，如〔小桃红〕，一在正宫，一在越调；〔红芍药〕，一在南吕宫，一在中吕宫。又有古体失考，流俗增减字句，至繁声过多，不可遵守，如〔越恁好〕〔雌雄画眉〕类。有字面差讹，致失本意，如〔生查子〕，“查”即“槎”字，用张骞乘槎事；玉抱肚，唐人呼带为抱肚，宋真宗尝赐王安石玉抱肚，今讹为〔玉胞肚〕；醉公子，唐人以咏公子，今讹为〔醉翁子〕；朝天紫，本牡丹种名，见陆游《牡丹谱》，今讹为〔朝天子〕类。又有一调两用，以此作引，即以此作过曲者，如《琵琶》〔念奴娇引〕“楚天雨过”云云，下文过曲“长空万里”云云，则省曰〔本序〕，言本上曲之〔念奴娇〕也。《拜月亭》〔惜奴娇引〕“祸不单行”云云，下文过曲“自与相别”云云，亦省曰〔本序〕。又〔夜行船引〕“六曲阑干”云云，下文过曲“春思恹恹”云云，亦省曰〔本序〕，言本上之〔惜奴娇〕与〔夜行船〕也。顾如《琵琶》之〔祝英台〕〔尾犯〕〔高阳台〕等曲，皆以此引，亦皆以此过曲，宜书〔本序〕矣，今反不书。而于“新篁池阁”一曲，乃亦署曰〔本序〕，不知前有〔梁州令引〕，方可作〔本序〕，今前引既他曲，而亦以〔本序〕名之，则非也。又登场首曲，北曰楔子，北剧中辄有一事情节未了，别加一饶戏，亦作楔子，与此异。南曰引子。引子属慢词，过曲属近词。曲之第二调，北曰〔幺〕，南曰〔前腔〕，又曰〔换头〕。〔前腔〕者，连用二首，或四五首，句法一字不易者也。〔换头〕者，换其前曲之头，稍增减一二字句，如〔锦堂月〕〔念奴娇〕则换首句，〔朝元令〕则第一、第二、第三、第四通调各自全换，〔梁州序〕则至第三、第四调始换首二句，此类是也。〔煞曲〕曰〔尾声〕，亦曰〔余文〕，或曰〔意不尽〕，或曰〔十二时〕，以南曲〔尾声〕皆用十二板为节。其实一也。格式句子，稍有不同，当随所用宫词以为衡。《南曲谱》论〔尾声〕颇详，可参考。今多混用，非是。大抵南调之创，稍次北词，《拜月》之作，略先《琵琶》，二记调绝不同。《拜月》诸调，又绝不见他戏，足知创调之始，当不止如今谱所载者。特时代已远，无从辑补，只就其存者，谨慎用之，自无出宫落腔之诮矣。

第四章　平仄

今之平仄，韵书所谓四声也。四声者，平、上、去、入也。平谓之平。上、去、入总谓之仄。曲有宜于平者，而平有阴阳，有宜于仄者，而仄有上、去、入。乖其法则曰拗嗓。盖平声声尚含蓄，上声促而未舒，去声往而不返，入声则逼侧而调不得自转。故均一仄也，上自为上，去自为去，独入声可出入互用。北音重浊，故北曲无入声，转派在平、上、去三声。而南曲不然，词隐谓入可代平，为独泄造化之秘。又欲令作南曲者，悉遵《中原音韵》，入声亦止许代平，余以上、去相间。不知南曲与北曲，正自不同。北则入无正音，故派在平、上、去之三声，各有所属，不得假借。南则入声自有正音，又施于平、上、去之三声，无所不可。大抵词曲之有入声，正如药中甘草，一遇缺乏，或平、上、去三声字面不妥，无可奈何之际，得一入声，便可通融打诨过去，是故可作平、可作上、可作去。而其作平也，可作阴，又可作阳，不得以北音为拘。此则世之唱者，习用不知，而论者又未敢拈出，笔之纸上故耳。其用法则宜平不得用仄，宜仄不得用平，宜上不得用去，宜去不得用上，宜上去不得用去上，宜去上不得用上去，上上去去不得叠用，单句不得连用四平、四上、四去、四入。押韵有宜平而亦可用仄者，有宜仄而亦可用平者，有宜平不得已而以上声代之者。韵脚不宜多用入声代平、上、去字。一调中有数句连用仄声者，宜一上一去间用。词隐谓遇去声当高唱，遇上声当低唱，平声、入声，又当斟酌其高低，不可令混。或又谓平有提音，上有顿音，去有送音，盖大略平、去、入启口便是，独上声须从平声起音，渐揭而重以转入，此自然之理。至调其清浊，叶其高下，使律吕相宣，金石错应，此在握管者之责。作词第一要义，当注意于此。

第五章　阴阳

古之论曲者，曰："声分平仄，字别阴阳。"阴阳之说，北曲《中原音韵》论之甚详，南曲则久废不讲，其法亦湮没不传。明余姚孙俟居先生，最严阴阳，盖得之其诸父月峰先生者。夫五声之有清浊也，清则轻扬，浊则沉郁。周氏以清者为阴、浊者为阳，故于北曲中凡揭起字皆曰阳（从低至高曰揭）、抑下字皆曰阴（从高至低曰抑）。而南曲正尔相反。南曲凡清声字皆揭而起，凡浊声字皆抑而下。今略论之。曲之篇章句字，既播之声音，必高下抑扬，参差相错，引如贯珠，而后可入律吕，可和管弦。倘宜揭也而或用阴字，则声必欺字；宜抑也而或用阳字，则字必欺声。阴阳一欺，则调必不和。欲诎调以就字，则声非其声；欲易字以就调，则字非其字，毋论听者逆耳，抑亦歌者棘喉。《中原音韵》载歌北曲〔四块玉〕者，原文是"彩扇歌青楼饮"，而歌者歌"青"为"晴"，谓此一字，欲扬其音，而"青"乃抑之，于是改作"买笑金缠头锦"始叶，此即声非其声之谓也。（以上阴阳就北曲言，以揭为阳，以抑为阴。）南曲反此。如《琵琶记》〔尾犯序〕首调末句，"公婆没主一旦冷清清”句，“冷”字是掣板，唱须直下，宜上声，“清”字须揭起，宜用阴声。今并下第二、第三调末句，一曰“眼睁睁”，一曰“语惺惺”，“冷”、“眼”、“语”三字，皆上声，“清清”“睁睁”“惺惺”，皆阴字，叶矣。末调末句，却曰“相思两处一样泪盈盈”，“泪”字去声，既启口便气尽，不可宛转，下“盈盈”又属阳字，不便于揭，须唱作“英”字，音乃叶。〔玉芙蓉〕末三字，正与此“冷清清”三字同，《南九宫谱》用《拜月亭》中“圣明天子诏贤书”作谱。词隐评云：“‘子诏’上去妙。”殊误。盖“诏贤”二字，法用上阴，而“诏贤”是去阳，唱来却似“沼轩”故也。两平声则如“高阳台宦海沉身”句，“沉”字是阳，“身”字是阴，此句当作仄仄阴阳。今曰“沉身”，则“海”字之上声，与“沉”之阳字相戾，须作“身沉”乃叶。以此类推，他调可见。大略阴字宜搭上声，阳字宜搭去声。如“长空万里”换头，“孤影”“光莹”“愁听”三句，“孤”字以阴搭上，“愁”字以阳搭去，唱来俱妙，独“光”字唱来似“狂”字，则以阴搭去之故，若易“光”为阳字，或易“莹”为上声字，则又叶矣。〔祝英台换头〕“春昼”“知否”“今后”三句，上三字皆阴，而独“知否”好听，“春”字则似“唇”，“今”字则似“禽”，正以接下去、上二声不同之故。若易“春”“今”为阳，或易“昼”“后”为上，则又无不叶矣。此下字活法也。又平声阴则揭起，而阳则抑下，固也。然亦有揭起处，特以阳字为妙者。如〔二郎神〕第四句第一字，亦是揭调。《琵琶》“谁知别后”，《连环》“繁华庭院”，《浣纱》“蹉跎到此”，《明珠》“徘徊灯侧”，“谁”字、“繁”字、“徘”字，揭来俱妙。而“蹉”字揭来，却似“矬”字，盖此字之揭，其声吸而入，其揭向内。所以阳字特妙，而阴字之揭，其声吐而出，如去声之一往而不返故也。又〔梁州序〕第三句第三字，亦似揭起，亦以阳为妙。如“日永红尘隔断”，与“一点风来香满”，“风”不如“红”妙。〔胜如花〕第三句第三字亦然，《荆钗》之“岂料登山蓦岭”，与《浣纱》之“为甚登山涉水”，两“登”字俱欠妙。余可类推。此天地自然之妙，呼吸抑扬，转在几微间，又不可尽谓揭处决不可用阳也。然古曲阴阳皆合者，亦自无多。即《西厢》为音律之祖，开卷第一句，“游艺中原”之“原”，法当用阴字，今“原”却是阳，须作“渊”字唱乃叶，他可知已。学者各就南北曲谱中，细细斟酌，填入字句，自无聱牙之病矣。

第六章　作法上

杂剧传奇之名，虽昉于金元，顾实创于宋。赵德麟〔蝶恋花〕词（说见前），以长短韵语，加入微之原文，按节弹唱，则已启传奇家串演之法，惟其名乃成于元耳。自是以后，有院本，有杂剧，有爨弄，名称滋多，皆见陶宗仪《辍耕录》。明人南曲盛行，所作院本，有多至数十折者，于是以篇幅长者为传奇，以短者为杂剧。或又以南词为传奇，北曲为杂剧，相沿至今，其名未改，虽违本意，顾亦可从。余今所论，为总言作剧之理，不分传奇、杂剧、南词、北曲之名。大抵剧之妙处，在一“真”字。真也者，切实不浮，感人心脾之谓也。风俗之靡，日甚一日，究其所以，皆由人心之喜新尚异。戏剧作用，本在规正风俗。顾庄论道德，取语录格言之糟粕，以求补救社会，此固势所不能。就人心之所向，而为无形之规导，则不妨就末流之习，渐返于正，故言新异，但祈不诡于法而已。此真之说也。其次须有风趣。近日人情，畏听庄论。太史公谓“谈言微中，亦可以解纷”，此言于传奇中最合。宋人说部中载钱惟演、杨亿好为玉谿体诗，创为西崑体，一时台馆诸公，悉为效法，翕然成风。时有一伶人，饰李玉谿上场，衣服破碎，形容憔悴，曰：“我被馆阁诸公，挦撦殆尽矣。”满座哄然。又史弥远当国时，奔竞者多。岁时宴集，伶人有饰颜渊者，搔首踌躇曰：“夫子之道，可谓仰之弥高，钻之弥远。”一人问曰：“钻之弥坚，何云弥远?”答曰：“现在那个不钻弥远。”众为敛容。诸如此类，最有风趣，设置身当日，亦未有不掩口胡卢者。此即谈言微中也。若掇拾市井谑语，或秽亵不文，则又一无足取。盖风趣虽不可少，而惩劝要有所归。设遇未便明言之处，不妨假草木昆虫之微，以寓扶偏救弊之旨，所谓正告之不足，旁引曲喻之则有余也。此风趣之说也。曰“真”曰“趣”，作剧者不可不知。真所以补风化，趣所以动观听。而其要旨，尤在“美”之一字。此其大概也。至其紧要，则条论之。

（一）结构宜谨严

填词之道，如行文然，必须规矩局度，整齐不紊，则一部大文，始终洁净，读之者虽觉山重水复，而冈峦起伏，自有回顾纡徐之致。数十出中，一出不能删，一出不能加，关目虽多，线索自晰，斯为美也。故填词者，在引商刻羽之先、拈韵抽毫之始，须将全部纲领，布置妥帖，何处可加饶折，何处可设节目，角色分配如何可以匀称，排场冷热如何可以调剂，通盘筹算，总以脉络分明，事实离奇为要。故作传奇者，不可急急拈毫，袖手于始，方可振笔疾书于后。有奇事方有奇文，未有命题不佳，而能出其锦心，扬为绣口也。尝读近人传奇，惜其惨淡经营，用心良苦，而终不能被管弦、副优孟者，非审音协律之难，由结构全部规模之未尽善耳。因摭采成说，略述如下。

（甲）戒讽刺　传奇之作，用代木铎，借优人说法，与大众齐听，意谓善者如此，恶者如彼，意主劝惩，不当影射。自刻薄者流，以此意倒行逆施，借此为报仇泄恨之具，心所喜者，施以生旦之名，心所恶者，变以净丑之面，且举千百年未闻之丑形怪状，加于一人之身，使梨园习而传之，几为定案，虽有孝子慈孙，不能改也。余闻故老言，明王九思附刘瑾，得调吏部文选司。瑾败，勒令致仕，后复永锢终身。时李东阳柄国，不为缓颊，九思深恨之。盛年屏弃，无所发怒，作《杜子美沽酒游春》杂剧，力诋西涯，流转腾涌，一时关陇之士，翕然和之。嘉靖初，纂修实录，议起九思，或言于朝曰："《游春》一剧，李林甫为西涯相国，杨国忠得非石斋，贾婆婆得非南坞耶?"吏部闻之，缩舌而止。又康对山海，弘治中状元也。当正德初李梦阳忤刘瑾，系诏狱。梦阳求救于对山，对山曰："吾何惜一官，不救李死乎?"乃往谒瑾，为之排解，李遂得免。瑾败，康落职，梦阳不一援手，对山恨焉，乃作《东郭先生误救中山狼》杂剧，而马中锡又作《中山狼传》，于是天下无不知梦阳之负对山也。夫康救李于危急之中，李不思图报，其曲固在李。而康以中山狼比梦阳，非特文人轻薄，抑且无容人之量，何快此一时之愤也？传奇一事，最易贾怨，即使无所寄托，犹或凭空臆造，况真有所指乎？他不具论，即如《琵琶记》《牡丹亭》，固千古之妙文也。或谓《琵琶记》一书，为讥王四而作，因其不孝，故传中一入豪门，致亲饿死。何以知之？因“琵琶”二字，合计四“王”字也。噫！此非君子之言也。凡作传世之文，必先有可以传世之心，而后成此倒峡之词。但观《琵琶》得传至今，则高明为人，必有善行可取。即使当日与王四有隙，故以不孝加之，然则彼与蔡邕，未必有隙，何以有隙之人，止暗寓其姓，不明叱其名，而以未必有隙之人，反蒙李代桃僵之实乎？此显而易见者也。又《牡丹亭》一书，人谓汤若士讥刺昙阳子而作。若士应春官试，忤陈眉公，遂以媒孽下第。时太仓王相国为总裁，相国本若士座师，亦素厚眉公者，若士遂恨相国入骨。适昙阳坐化后，浙中又有一昙阳出现，与一士人为眷属，风闻远迩（见沈瓒《近事丛残》），若士遂作《牡丹亭》以泄恨，故记中有还魂之事。而蒋心余作《临川梦》曲，亦信此说，且云：“毕竟是桃李春风旧门墙，怎好把帷薄私情向笔下扬，他平生罪孽这词章。”于是若士此曲，乃为端人正士所不取，岂知皆子虚乌有乎？朱竹垞《静志居诗话》云：“世或传《牡丹亭》刺昙阳子而作，然太仓相君实先令家乐演之，且曰：‘吾老年人，近颇为此曲惆怅。’假令人言可信，相君虽盛德有容，必不反演之于家也。”即玉茗集中，《寄张元长吊俞二姑》二绝句，其序中亦记太仓相君之语，与《静志居诗话》合。可知此说实是不确，而后人反言之凿凿，岂不可笑。是故作传奇者，切要涤去此种肺腑，务存忠厚之心，勿为残毒之事，则令德令闻，始足与元明诸家并寿矣。

（乙）立主脑　传奇主脑，总在生旦，一切他色，只为此一生一旦之供给。一部剧中，有无数人名，究竟都是陪客，原其初心，止为一人而设。即其一人之身，自始至终，又有无限情由，无穷关目，究竟都是衍文，原其初心，又止为一事而设。此一人一事，即所谓传奇主脑也。然必此一人一事，果然奇特，确有可传，则不愧传奇之目。而其人其事，与作者姓名，皆千古矣。如实甫《西厢记》，止为张君瑞一人而设，而张君瑞一人，又止为白马解围一事，其余枝节，皆从此事而生。夫人许婚，张生望配，红娘勇于作合，皆由于此。是则“白马解围”四字，即作《西厢记》之主脑也。如《红梨记》止为赵伯畴一人而设，而赵伯畴一人，又只为题诗寄情一事，其余关目，皆从此一事而生。王辅之拘禁素秋，钱孟博之巧于作合，花婆之计赚红梨，素秋之守盟不渝，皆由于此。是则“题诗寄情”四字，即作《红梨》之主脑也。惟文人好事，往往标新立异，离奇变幻，无所不至，然其线索清澈，脉络分明，虽机趣横生，而事实始终整洁。试观《桃花扇》，记明季时事，头绪虽多，而系年记月，通本无一折可删，且所纪皆是实录，又可作南都信史观，所谓“六辔在手，一尘不惊”也。后人作剧，但知为一人而作，不知为一事而作，又不知敷设许多他事，即为此一事而作，于是假托神怪，或糅杂鬼魅，若《双珠》之投渊遇神、《狮吼》之遍游地狱，六尺氍毹，人鬼参半，皆由好奇太过，山穷水尽，不得不设一幻境，以便生旦团圆，实则线索未清，补救不来而已。余谓与其作传奇而捉襟露肘，毋宁作杂剧而点笔成金。若徐天池之《四声猿》、杨笠湖之《吟风阁》，何尝不脍炙人口？必欲勉成四十出，东涂西抹，如不系之舟，无梁之屋，亦甚无谓。

（丙）脱窠臼　传奇者，以奇事可传也。事若不奇，势必不传，何必浪费笔墨。韩文公云：“惟陈言之务去。”又云：“惟古于文必己出。”作文如是，填词亦然。余尝谓明人诸曲，往往以婢女代嫁，亦属厌套。又生必贫困，女必贤淑，先订朱陈，而女家毁盟。当其时，必有一富豪公子，见色垂涎，设计杀生。女父母转许公子，而生卒得他人之救，应试及第，奉旨完姻，置公子于法，然后当场团圆。十部传奇，五六如此。嘻，亦难矣！天下新奇之事，日出不穷，今古风俗之异宜，又不知凡几。从此着想，尽有妙文，何必汇集各剧，东割一段，西窃一段，成此千补百衲之敝衣乎？且吾所谓脱窠臼者，盖欲一新词场之耳目也。即论旧剧，元明以来，从无死后还魂之事，《玉箫女两世姻缘》亦是隔世。自汤若士之杜丽娘还魂后，顿使排场一新，且于《游魂》《冥誓》诸节，又添出许多妙文，是还魂一节，若士所独创也。又如《桃花扇》，不令生旦团圆，就中元建蘸之际，令生旦各修正果，并云："家国何在，君父何在？偏是儿女之情，不能割断!"真足令人猛省，而填词之旨尤为大显。又开场副末，不用旧日排场，末后《余韵》一折，更觉苍凉悲壮。试问今古传奇，从来有此场面乎？是特破生旦团圆之成格，东塘所独创也。（东塘友人顾彩曾改《桃花扇·修真》《入道》诸折，使朝宗、香君成为眷属。东塘尝贻书道谢。自余观之，真黑漆断纹琴而已。）是故窠臼云者，非特窃取排场也，即通本无一独创之格，亦是窠臼。填词一道，文人下笔，欲词采富丽，恢恢乎游刃有余，而欲排场崭新，则难之又难。盖此皆优伶之事，不甚措意，而所失即在此，不可不审慎出之也。

（丁）密针线　传奇全本，统计不下数十折。此数十折中，关目孔多，事实颇烦，而于起伏照应之处，须如草蛇灰线，令人无罅隙之可寻，无缝天衣，不着一针线痕迹，方是妙文。昔人谓作剧如作衣，其初则以完全者剪碎，其后则以剪碎者使之合成，此真至理名言也。即如《西厢》，不先将郑恒安置妥帖，直至愤争婚姻，触阶而死，殊为情理不合。《琵琶》尤甚。子中状头三载，而家人不知；身赘相府，享尽荣华，不能自遣一仆，而付家书于路人；陈留至洛阳，仅数百里，而辄云"万里家山"，此尤背谬之至者也。古人尚有此失，今人可勿留意？是以作传奇者，须将全部关目，布置周到，其起伏照应，如作一篇文字然，骨肉停匀，情理周到，而后施以词藻，则华实交茂矣。

（戊）减头绪　头绪繁多，曲之大病也。试思观剧者，于一日半日间，欲明此剧中情节，全在一线到底，无旁见侧出之情，则孰主孰宾，一览而知。若喜设关目，多添脚色，则通部前后，或有照应不及之处，而线索紊矣。线索既紊，将使观场者茫然不知其事之始末。且剧中止有生、旦、净、丑诸角，苟关目一多，则人数亦不能少，场上脚色，止此数人，上场下场，又易与主任脚色相混，而通本反觉模糊不清矣。旧剧中如屠赤水之《昙花记》，木西来固为主任脚色，而贪袭仙佛话头，曲情多而事情少，遂至头绪不明，故当时有“点鬼簿”之诮。又如吴石渠五种，以《绿牡丹》为简明，通本关目，止为绿牡丹一枝，沈重之衡文，瑶草之捉刀，二才媛之怜才，皆别有一种紧凑缜密之致，而尤能别开生面。试问隔帘试婿，古今有是事否？此因头绪不繁，故能步步入胜也。余如《情邮》一记，已觉烦琐。《疗妒羹》贪用小青本传，遂至不能择别，虽出出俱佳，只可作散套观，非所论于传奇矣。他剧中犯此者至多，不胜枚举。学者宜避此病，方为上乘。

（己）均劳逸　传奇中脚色，总言之曰生、旦、净、丑。自明中叶，海盐派盛行，继之以昆腔，而脚色遂繁。生有老生、冠生、巾生、二生之名，旦有老旦、正旦、搽旦、小旦、贴旦之名，净有大、小、中之区别，惟丑则一耳。统计十有三门，今人谓十门脚色，举其成数言之也。

未有昆腔以前，每本传奇所用脚色，大率以一人终始之，自开场至结尾，无论多至数十折，总以一色任之，从无有数人分任其劳者。昆剧既盛，角目之分析亦细，而每一部中所蓄伶人，各色均不下七八人。故凡演一剧，先将剧中所定角目，逐折细检。同一生脚也，第几折宜用冠生，第几折宜用巾生；同一旦脚也，某几折宜用正旦，某几折宜用小旦，各视曲中文字与事迹之何若，而后定为某脚某脚也。是则昆剧中之角目，已较弋阳、海盐诸腔稍逸矣。惟昆曲悠扬绵邈，每终一曲，其难比他曲不啻数倍，故角目虽分析至细，而其所任之责，曾不少轻焉。是以填词者当知优伶之劳逸，如上一折生为主角，则下一折再不可用生矣；上一折旦为主角，则下一折亦不可用旦角矣；他脚色亦然。此其故有二：一则优伶更番执役，不致十分过劳；二则衣饰裙钗更换，颇费时间。设使前后二折，同是一脚色任之，衣饰服御，无一更换，犹可勉强而行，倘若必须更换，则万万来不及。前折下场，与后折上场，为时不过三五分钟，以极短极促之时间，而更换最难穿戴之服饰，虽十手犹不能为也。文人填词，能歌者已少，能知此理者，非曾经串演不能，故尤少也。往读名家传奇，此失独多。汤若士之《紫钗》、徐榆村之《镜光缘》，更多是病，此所以不能通常开演也。

（庚）酌事实　传奇家门，副末开场，必云演那朝故事、那本传奇。明人院本，无不如是也。其云故事，必系取古人事实谱之，非凭空结撰可知。顾文人好奇，喜作狡狯，于是有臆造之事，怪幻百出，以恣肆其文字者。盖古人往事，未便改易，填词者须以文就事，不可自行增损，不如臆造之可以举动自由也。惟当注意者，用故事则不可一事蹈虚，用臆造则一事不可征实，此当奉为科律。所谓一事不可蹈虚者，盖既用前人故事，是实有其人，实有其事矣，则凡时代、朋旧、舆地、盗贼、刀兵、衣服，及关涉其人一切诸事，皆当凿凿可据，虽在科诨之间，亦不可杜撰一语。此即实则实到底之谓也。所谓不可一事征实者，盖全本既纯是臆说，是其人其事已在子虚乌有之列，即使确考时地，终难取信，不若鼓我笔机，使通本可泣可歌之为愈也。此即虚则虚到底之谓也。虚实二义，填词者于未下笔时，必先认定，切莫自乱其例。旧传奇中，用故事最胜者，莫如《桃花扇》，用臆说最胜者，莫如《牡丹亭》。《桃花扇》所用事实，俱见明季人野史，卷首有考据数十条，东塘自记明晰矣。抑知记中所有纤小科诨，亦皆有所本乎？香君诨名“香扇坠”，见《板桥杂记》。王铎楷书《燕子笺》，过藏无锡某官家。即如阮大铖之路毙仙霞岭、蓝田叔之寄居媚香楼，亦各有所本。盖几几乎无语不征实矣。《牡丹亭》杜丽娘以一梦感情，生死不渝，亦已动人情致，而又写道院幽媾之凄艳，野店合婚之潦草，无不入情入理。惟《虏谍》之立马吴山，李全之闹兵淮颍，则确有其事，但此为本书之辅佐，不足为全书之玷。二书一实一虚，各极其妙。余每读其文，辄有季札观止之叹，此亦天下之公论也。明人院本，颇喜采唐人小说，如梅鼎祚之《玉合记》（谱章台柳本事）、《昆仑奴》（谱红绡事），陆天池之《明珠记》（谱刘无双事），梅孝巳之《洒家佣》（谱李固之子李燮事），张凤翼之《红拂记》（谱李卫公事），皆取唐人本传点缀之，证确语妙，后之作者，不能及也。顾亦有至不堪者，若顾大典之《青衫记》（谱白太傅《琵琶行》事）、汪廷讷之《狮吼记》（谱方山子陈季常事），令人不堪终卷矣。《青衫》以白乐天素眷此伎，中经丧乱，伎委身江西茶客，乐天送客浔阳，乃遇此伎，卒复团圆云云。通本荒唐，全无是处，虽承马东篱《青衫泪》之谬，然既改北为南，何不征引本传，摭拾元和年事，可以传信后人乎？《狮吼》以东坡《方山子传》为主，其中摹写惧内情形，至堪喷饭，且强拉东坡赠妾季常，柳氏阃威，无可发泄，愤怒成病，病中遍游地狱，知一生妒嫉，死后必受冥罚，遂幡然改悔，卒为贤妇。总其旨归，只因《方山子传》中，有“妻子奴婢皆有自得之意”一语，及苏诗“忽闻河东狮子吼，拄杖落地心茫然”二句，遂演出无数丑腔恶态，不谓才俭不可矣。是以词家所谱事实，宜合于情理之中，最妙以前人说部中可感可泣、有关风化之事，揆情度理，饰以文藻，则感动人心，改易风俗，其功可券也。且以愚意论之，用故事较臆造为易。何也？故事已有古人成作在前，其篇幅结构，不必自我用心，但就原文编次，自无前后不称之病，较之自造一事，须将事实布置妥帖者，其劳逸悬殊，事半功倍，此之谓也。

（二）词采宜超妙

填词一道，本是词章家事，词采一层，盖无不优为之，顾亦有难言者。词之与诗，所用典雅各话头，尚有可以通用之处。试阅五季两宋之词，虽有工拙，而一言以蔽之曰：雅而已矣。曲则不然，有雅有俗。雅则非若诗余之雅也，书卷典故，无一不可运用，而无一可以堆垛。即如清真词〔瑞龙吟〕之“断肠院落，一帘风絮”，又〔琐窗寒〕之“风灯零乱，少年羁旅”，此绝妙好辞也，试入之曲文中，则反嫌不称。以曲中所长，在乎超脱，正不必情韵含蓄胜人。至于俗亦非一味俚俗已也，俗中尤须有雅韵。盖净丑口吻，最难摹写，非若生旦，可以文言见长，身不读书，何必作才语相向乎？惟出语十分粗鄙，却又不登大雅之堂。若《南西厢》之《游殿闹斋》、《红梨》之《皂隶请宴》，但顾坐客之胡卢，不顾雅人之唾弃，则又不然。观昔人论诗余之道，上不类诗，下不类曲，然则曲与词，本是截然不同。今人不知词曲之分，专以风云月露诸艳语点缀成套，自谓绝世佳文，直是南辕北辙。旧剧中如范香令《梦花酣》《花筵赚》等曲，字字研炼，而复浑灏流转，此境未易学到。最不可解者，《水浒记·活捉》一折而已。《水浒》为吴门许自昌撰，不识何以贪用死书若此。其首曲云：“马嵬埋玉，珠楼堕粉。玉镜鸾空尘影，莫愁敛恨，枉称南国佳人。便做甖经獭髓，弦续鸾胶，怎济得鄂被炉香冷。可怜那章台人去也，一片尘。铜雀凄凉起暮云。听碧落，箫声隐。色丝谁续恹恹命，花不醉，下泉人。”此曲只“花不醉，下泉人”一语，却是绝妙文字，余则以垛堆为能事，深无足取，一句一典，辞意已先晦涩矣。试问马嵬坡、绿珠楼、莫愁湖、獭髓、鸾胶及鄂君被、章台柳等故事，阎婆惜以不甚识字之女子，能否知之？且其中所押之韵，真文、庚亭，模糊一片，而犹有人目为妙文者，吾所不解也。然犹有可诿者，曲系旦儿，不妨用文言也。乃张文远以一衙门书吏，且又饰一副净，而其所填之曲，则又全是书卷。曲云：“莫不是向坐怀柳下潜身？莫不是过南子户外停轮？莫不是携红拂越府奔？莫不是仙从少室，访孝廉封陟飞尘？”按曲中“坐怀不乱”是柳下惠事、“户外停轮”是蘧伯玉事、“红拂越府”是李卫公事、“封陟遇仙”是上元夫人事，张文远果知之否？且以副净脚色，而歌此典丽华赡之曲，合乎？否乎？此曲真无可解责矣。余非好与古人为难也，既为词人立一正鹄，自当举一正宗。雅则宜浅显，俗则宜蕴藉，此曲家所宜研究者也。一部传奇，短则十数折，长则数十折，每折又必须五六曲，若如许先生之语语用典，亦太费力。此则填词贵浅显之说也。传奇为警世之文，固宜彰善瘅恶，俾社会上有所裨益。顾注全力于劝善果报，则又未免有头巾腐气矣。传奇而有腐气，尚何文字之足论？欲免腐气，全在机神风趣。机者，传奇之精神；趣者，传奇之风致。少此二物，宛如泥人土马，有生形而无生气。作者逐句凑成，观者亦逐段记忆，此病犯者孔多，由于下笔之先，未将全部情由布置，而复贪作曲文故也。局机不整，通本减色矣。至于趣之一事，最难形容，无论艳情之曲，不可带道学语气，即如谈忠说孝，或摹写节烈之事，所作曲白，亦不可走到呆板一路。要使其人须眉如生，而又风趣悠然，方算出色当行之作。《桃花扇·沉江》一折，谱史可法死节，是何等惨事！而其曲云："撇下俺断蓬船，丢下俺无家犬。"下文云："看空江雪浪拍天，流不尽湘累怨。……累死英雄到此日，看江山换主，无可留恋。"又〔尾〕云："山云变，江岸迁。一霎时忠魂不见。寒食何人知墓田?"读之令人慷慨泣下，无一语憔悴可怜，如见阁部从容就死之状。末云"寒食墓田"，则又凄凉欲绝，感人心脾。无他，机趣流利也。若通首泛作名教中语，则反成一种不规则之格言，安能激动观场诸人之心乎？故填词者须有跌宕风流之致，虽存扶持名教之旨，切不可为迂腐可鄙之词。元陈刚中论人品，有云："抑圣为狂，寓哭于笑。"作传奇者，亦须如是。此填词重机趣之说也。且一本传奇，至少须有七八人，说何人宜肖何人，议某事宜切某事，赋风不宜说月，赏花不宜说草，要使所填词曲宾白，确肖此人此事，为他人他事所不可移动，方为妙文。诗古文辞，总宜贴切，填词何独不然？同场大曲，如〔念奴娇序〕〔梁州新郎〕之类，一部传中，尽有一二公共语，若合婚称庆诸作，可不具论，其他各曲虽一小引，或一过脉小曲，亦不可草草填去。试看《还魂记》老驼口中语，便可知矣。老驼在《牡丹亭》中是一不甚重要之人，而记中凡涉老驼诸曲，如《决谒》《索元》《问路》等诸曲，竟无一字轻率者，可见作曲须切题也。《决谒》曲文云："俺橐驼风味，种园家世，虽不能展脚伸腰，也和你鞠躬尽瘁。"句句是驼背口吻，能移他人口中否？又如蒋心余之《九种曲》《空谷香》与《香祖楼》所纪事迹，大致相同：若兰之与梦兰，同一薄命女子也；两家夫人，同一贤德淑媛也；孙虎与李蚓，同一继父也；红丝、高架，同一忠仆也。使各作一篇小传，尚难分别两样笔墨，况在传奇，洋洋洒洒成数十折之文章哉！乃各为写生，面目又各不同。若兰之语，偏移不得梦兰口中；梦兰之意，又移不得若兰心里。各有苦况，各有难处。此等妙曲，直可追步汤临川，岂独俯视阮百子？此无他，就各人情景，为之设身处地着想，故能亲切不浮如是也。此填词重贴切之说也。曰浅显，曰机趣，曰贴切，为词家所重要者。而要其指归，则在于入情入理，情理俱到，斯为上乘。盖情发一人之思，理穷万事之变，人伦日用之间，至有可记者，正不必索诸闻见之外，以荒唐文简陋也。惟尚有一事，词采上更当注意者，拗句是也。何谓拗句？即曲中偶有一二语，读之平仄拗戾，棘棘不能上口者是。凡遇此等句，填词时尤宜注意。如〔集贤宾〕之第一句，必须平平去上平去平；〔长拍〕之第六句，必须四上声字；〔下山虎〕平仄，一字不可更改。诸如此类，南曲谱中，皆注释详明，易于检讨。不过当作曲时，若作此等拗句，更宜加倍烹炼，而复出以自然而已。或曰：既须烹炼，又云自然，二事不类，何能并为一法乎？曰：君尝读“四梦”乎？《紫钗记》通本皆用此法也。其第一折〔玉芙蓉〕云：“椒花媚早春，屠苏偏让少年人。”〔簇御林〕云：“和东风吹绽了袍花衬。”〔尾〕云：“眉黄喜入春多分，酒冷香销少个人。”字字皆烹炼，字字皆自然也。盖烹炼者笔意，自然者笔机，意机交美，斯为妙句。若只顾烹炼，乃至语意晦塞，是违填词贵浅显之道矣。

（三）宾白宜优美

自来填词，止重曲词，置宾白于不问，作者辄随笔杂凑，不能引起人优美观念。其意谓既是宾白，明言白文处于宾位，可以稍省心力也。且元人杂剧中，以宾白叙事，以词曲写情。每折之首，先将此一折中人出场齐备，说明事迹，而后作大套长曲。是故宾白仅供点清眉目之用，似乎不必求工。噫！为此说者，真谬见也。亦思元杂剧之演法，与近今传奇演法大异乎？歌者自歌，白者自白，一人居中，专司歌唱，其余宾白诸人，环侍左右。先是司宾白者出场，使两旁分立，徐待一折中人登场齐集，然后正末登场，引吭高歌，众人或和歌，或介白。其有邦老、孛儿（邦老即南曲中之副净，孛儿即南词中之末、外），与正末为难事者，方出位演串，而旁侍者依然也，非若今日演戏之状也。据是则宾白在元剧，确为点清眉目而设，诚不必求工。即使每折抹去宾白，单读曲词，亦皆一气呵成，虽不用宾白，亦文理周匝。惟在今日，则情形不同。传奇一折，唱者多人，曲白既不分司，步立亦无定位。主戏固属费力，搭头亦要传神（俗以每折重要脚色为主戏，不重要诸人谓之搭头）。若宾白不工，则唱时可听、演时难看，且场面一冷，亦引不起曲情。此宾白不可不工者一也。元词用力在弦索，字多腔简，一人司唱，虽曲文甚长，亦可一泄而尽。至昆调悠扬，一字数转，数人分唱，仍苦其劳，曲中所有宾白，万不可少，一则节唱者之劳，二则宣曲文之意，非如元剧，止供和声介曲之用也。此宾白之不可不工者二也。元人各曲，善用腾挪之法，每一套中，其开首数曲，必装点饱满，而于本事上，入手时不即擒题，须至四五曲后，方才说到。是一套曲文，不啻一篇文字，不必上下文换一曲牌，更别换一意思也，故视宾白为无足轻重。南词则一套之中，唱者多人，意境势难合一，不独生旦同场，必须分清口角，即同是一生，同是一旦，措词亦须各有分寸，名为一套，实则一曲一意，而于关捩转折之处，能显其优美之趣者，全在宾白。设阳春白雪之曲词，而下里巴人之谈吐，不几令人失笑乎？且曲中词句，歌唱时丝竹嗷嘈，一时未必领会，十分佳妙，只显七分。若宾白则一字一语，人人皆知，不分雅俗，使翰苑衣冠而市井吐属，听者有不齿冷乎？况当笔酣墨饱之际，往往因得一二句好白，而使词句亦十分畅达，加倍生色者，是曲之佳否，亦系于宾白也。此宾白之不可不工者三也。惟宾白如何能工，则确有难言者。曲有谱韵可守，白文则无之；曲有平仄可遵，白则有时要分平仄，有时尽可不拘；即偶用小词小诗，又不妨袭用古人成作，或改易一二字，似乎做宾白较词曲为易。顾往往文人作传奇，曲则仍旧本歌唱，而宾白则全行移易。如《杀狗》《寻亲》及《白兔》诸古本，其中宾白，几无一字相同者。何哉？盖由作者卑视宾白，且以轻心出之耳。宾白虽不论平仄，顾亦须协律调声。例如传奇第一折，长引子下，必有一段长白，俗名定场白。白中必有三四联四六句，语语须调平仄，此凡能作传奇者，无不知之矣。抑知宾白中调声协律之处，不独首折中之定场白乎？如上句末一字用平，则下句末一字必须要用仄，连用二平，则声音壅塞，不能动听矣。今试择一幼稚生，令读一篇四六文，必且对仗不整，平仄不协，上下倒置。夫平仄调协之四六文，使不明文理对仗者读之，犹且动辄乖方，况伶人本无文理，而以平仄不合之宾白，责诸以委宛动人，不几如却行求前哉？夫歌舞之佳与不佳，为伶人之责；文字之合用不合用，此是文人之责，不能全委诸优人也。或曰：子言宾白亦须调协平仄，敬闻命矣，何以又言有时不分也？曰：皆是也。传奇中情节错杂，往往限于事实，不尽可绳以平仄，此亦应变从权之道。又丑净花面口吻，亦有谐合平仄，反觉斯文周身不称者。此中变换之妙，操纵在心，不可以言语传也。总之，生旦之白宜谐，净丑之白宜宽，会心人自能领悟耳。此宾白须谐平仄之说也。传奇中之有生旦与净丑，所以分别君子与小人，使人一望而知贤不肖也。是故作生旦之曲白，务求其雅，作净丑之曲白，务求其俗。谚语云"作那等人，说那等话"，此语竟似专为传奇而发。无论彼立心端正者，我当设身处地，代生端正之思，即遇立心邪僻者，我亦当舍经从权，暂作邪僻之想。要须心曲隐微，随口唾出，如吴道子之写生，须眉毕现，斯为得之。顾如近世词家，摹写生旦，则夐乎莫尚；规模净丑，则戛乎其难。此无他，因填词者系文人，只能就风雅一方面着想。若净丑，则龌龊琐碎，颇难下笔，非惟书卷气息，一些都不能阑入笔端，即如诗头曲尾、市井猥谈，下至签诀、星历、卜筮、千字文、百家姓、八股、尺牍等，一切无谓之口头禅语，无一不当熟悉。故净丑曲文，已倍难于生旦，而其宾白，则难之又难。此所以净丑曲白，工者少也。余谓净丑曲白，不作则已，作则勿畏其难，务求其肖。体贴物情，摹写世态，一字不安，立时改易。此宾白须肖似之说也。又传奇中南北各曲，用法无定，则宾白中字音，亦须依曲之南北，而分定其声音。何也？北曲有北音之字，南曲有南音之字。今人但知曲内宜分，不知白随曲转，不应两截乎？此折为南曲，则宾白悉当用南音；此折为北曲，则宾白悉当用北音。今人念北曲中宾白，辄以南音就之，歌场颇多，殊堪发噱。玉茗《邯郸·度世》一折（俗名《扫花三醉》），此北曲也。开场吕纯阳一段定场白，字字应作北音（北音非北京话），至于入声诸字，尤须谨严。白中自“蓬岛何曾见一人”起，至“何姑笑舞而来”云云，不下四百余字。如此长白，原是费力，乃今之歌者，满口胡柴，实是梦呓。余此说，为全套南曲与全套北曲言之，若南北合套，则可以不拘（南北合套为元末沈和所创）。是宾白之字音宜慎也。我国幅员广大，言语颇难一致。吴越方言，不通于秦晋；燕齐土语，又不通于关陇。填词家局故乡之闻见，肆梓里之科诨，乃至听者茫然，不能一解人颐者，多用方言之过也。余以为填词用韵，既一本《中州》，则宾白亦当以中州音为断。院本中净丑口角，往往以苏州口语出之，亦是厌套。此以填词者南人居多，而南人中又以苏人为多，生此一方，未免为一方所囿，故摇笔即来，一也。净丑口角，其出语总以发笑为主，填词者既系南人，自当取悦乡人之耳，若用中州之音，恐听者未必雅俗俱解，二也。不知曲中韵律，既不专用乡音，则白中字眼，亦当一律，曲白两音，终非所宜。但使作者于宾白及科介之际，将乡土之语，逐一检点删削，则自无此等病矣。此宾白之方言宜少也。以上数则，皆填词者应守者，既备述于右。尚有一事，则剧中一切科诨处也。科诨之道，虽不可雅，雅则令人难解，然亦不可太俗，俗则令人欲呕。前人院本，遇科诨处，辄书“随意作科诨”数字，令伶工自作，俾得即景言情，可以一新耳目。但今伶工，辄不能文，于作者之旨，不能领会，点金成铁，所在多有。惟孔东堂《桃花扇》科诨，出自己作，不许伶人增损，其意诚是，然通本殊少解颐语。此以知科诨虽小道，其难且过填词也。今人逢科诨，往往作淫亵语，以便引人发笑。有房中不能出口之语，公然播诸大庭广众之前者，此亦有关风化也，亟宜避去。

第七章　作法下

南曲自梁、魏创立水磨调后，其作法大有变革。良辅仅点《琵琶记》板，而不点《幽闺记》板（《幽闺》为施君美作。君美名惠）。故词家宜恪守《琵琶》。惟东嘉用韵夹杂，不尽可依，取舍从违之际，颇费裁酌，非老于词学者，不无窒碍。旧谱中最知名者，曰《南音三籁》，曰《骷髅格》，曰《九宫谱》，俱不盛传。惟沈宁庵之《南九宫谱》、沈伯明之《南词新谱》，藏书家间有储弆者，顾亦不多见矣。余谓诸谱论词句之格式虽详，而于填词时按谱寻声之道，尚未深论，是犹有罅漏也。康熙时《南词定律》一书，考订最精，填词者当以此为样本（今人填词，率取旧本传奇，如《西厢记》《牡丹亭》《桃花扇》数部作样本，或取《长生殿》与《倚晴七种》者亦有之。余谓《牡丹亭》衬字太多，《桃花扇》平仄欠合，皆未便效法，惟学《长生殿》，尚无纰缪），庶有所依据，不误歧途也。尚有数事，为备论之。

（一）词牌之体式宜别也

词牌诸名，备载各谱。兹所谓体式者，盖自来沿误之处，自应辨别而已。每一牌必有一定之声，移动不得些微。往往有标名某宫某曲，而所作句法，全非本调者，令人无从制谱，此不得以“不知音”三字诿罪也。（此误《牡丹亭》最多，多一句，少一句，触目皆是，故叶怀庭改作集曲。）又传奇情节，某处宜悲戚，某处宜欢乐，某处宜用急曲，某处宜用慢曲，皆各视戏情酌用之。今一切不论，任取一曲填之，以致丑角或唱〔懒画眉〕，生旦反用〔普贤歌〕，张冠李戴，实为笑柄。故体式不可不知。今略举数例。如〔点绛唇〕，引子也，南曲中属于黄钟宫也。《琵琶·陈情》（俗名《辞朝》）折内云：“月淡星稀，建章宫里千门晓。御炉烟袅，隐隐鸣梢杳。”此真黄钟引子之正格，故“建章宫里”之“里”字，并不押韵，显与北曲之仙吕〔点绛唇〕大异也。顾今之歌者，皆用六凡工度之，则南词之黄钟〔点绛唇〕，尽变为仙吕〔点绛唇〕矣。又如正宫〔倾杯序〕，其第一句为四字叶韵者，元人所作，无不如是也。至明景泰时，邱琼山所作之《纲常记》，用〔倾杯序〕，第一句为“步蹑云霄句际圣朝读叨沐恩波浩句”，此正元调体式。不知何人，妄以此二句，改作“步蹑云霄际圣朝句叨沐恩波浩句”，既不顾文理，又不顾句法，直至今日，牢不可破。即淹雅如杨升庵，亦承其讹。升庵《陶情乐府》内，〔倾杯序〕云：“隔墙新月上梅花句绣阁吹灯罢。”可知此误由来旧矣。又如〔针线箱〕与〔解三酲〕，其实一牌也。〔针线箱〕八句二十八板，〔解三酲〕亦八句二十八板。其所以名〔针线箱〕者，实始于古曲《东墙记》。词云：“为薄情使人萦系。终日把围屏闷倚。恹恹顿觉贪春睡，一日瘦如一日。有时重整残针指，拈起东来忘却西。香闺里，无言空对，针线箱儿。”（词中点画处为板，、为头板，ㄴ为腰板，－为截板）因末句有“针线箱”三字，遂以为名，其实与〔解三酲〕有何区别？昧者以〔解三酲〕属仙吕，以〔针线箱〕属南吕，殊不知笛色同用六调，如何能入仙吕？此大愦愦也。又如《西厢》之《佳期》折，所用〔十二红〕（即“小姐小姐多丰采”一支），系仙吕集曲，非商调集曲，其第一牌〔醉扶归〕，是仙吕宫也。（凡集曲总以第一牌为标准，第一牌为某宫，则以下诸曲，宜均在此宫，若犯别调之曲，亦须取笛色相同者。）既是仙吕，则笛色当用小工，今律以所犯牌名，杂出不伦，纰缪甚多，且笛色又用凡字调，则一若南吕宫矣。叶怀庭云：“《佳期》曲剌谬不少，今骤然订正，恐有郢客寡和之憾，姑仍旧贯，识者无讥。”则此曲之误，怀庭固知之焉。李笠翁讥此曲为鄙俗，犹从文字着想，实则岂仅“鄙俗”二字足蔽之哉！（《南词定律》以此曲属仙吕犯调，确当不易，并分注各牌，以〔醉扶归〕〔惜黄花〕〔皂罗袍〕〔傍妆台〕〔耍鲍老〕〔罗帐里坐〕〔江儿水〕〔玉娇枝〕〔山坡羊〕〔东瓯令〕〔排歌〕〔太平歌〕诸名，逐句配合，尤为允惬。）诸如此类，不胜枚举，取其最著者言之，已如此繁夥矣。

（二）曲音之卑亢宜调也

南曲之声，最易辨析，而亦最不易辨析。何也？以宫调论，则每宫有每宫之声，至易分辨。以每支论，则同属一宫之曲，其声有不能分辨者，要在句法板式之间，寻其异同之处而已。如〔忒忒令〕之与〔园林好〕、〔莺啼序〕之与〔集贤宾〕、〔好事近〕之与〔泣颜回〕，乍听其声，几难分别，直至察其板式，乃能清晰。故填词家凡遇声音相类之曲，其四声阴阳，宁守定旧谱，可免舛错。大抵字音与曲调，盩然相反。四声中字音，以上声为最高，而在曲调中，则上声诸字，反处极低之度。又去声之音，读之似觉最低，不知在曲调中，则去声最易发调、最易动听。故逢去上两字连用之处（谓一句中相连处），用去上者最佳，用上去者次之，所谓卑亢之间，最难联贯也。凡事自上而下较易，自下而上较难。自去声至上声，由上而下也；自上声至去声，由下而上也。所以去上之声，必优于上去。总之，就曲调之高低，以律字音之卑亢，调之低者，宜用上声字，调之高者，宜用去声字，总以文字优美为旨。能上声字少用，则所填诸词，无不可被弦管矣。

更有一事当注意者，前曲与后曲联缀之处，不独与别宫曲联络，有卑亢不相入之理。即同宫同调，亦有高低不同者。同一双调也，〔步步娇〕之高亢，与〔朝元令〕之低抑，相去不可以道里计也。故自来曲家，卒未有以此二曲联为一套者。《牡丹亭·冥誓》折，所用诸曲，有仙吕者，有黄钟者，强联一处，杂出无序，《纳书楹》节去数曲，始合管弦。以若士之才，而疏于曲律如是，甚矣填词之难也！

（三）曲中之板式宜检也

板拍所以为曲中之节奏，北曲无定式，视文字中衬字之多少为衡，所谓死腔活板是也。南曲则每宫每支，除引子及〔本宫赚〕〔不是路〕外，无一不立有定式。如仙吕宫之〔河传序〕共三十二板，〔桂枝香〕二十三板，其下板处，各有一定不可移动之处，谓之板式。（每曲第几字下板，毫无假借。）文人善歌者少，往往不明板式之理，或任意多加衬字（衬字详后文“十知”篇中），以至上一板与下一板，相隔太远，遂令唱者赶板不及，甚则落出腔调者，皆填词时不检板式之病也。欲免此病，只在未填词之先，将欲填之曲检出，细察此曲之板式，其疏密若何。若板式至简，或上句之末一板，与下句之第一板，中间间隔多字者，则下句之首，万不可再加衬字矣。今姑举一例以明之。

如仙吕〔桂枝香〕，共十一句廿三板，《琵琶·拒婚》折云：“书生愚见，忒不通变。不肯坦腹东床，漫自去哀求金殿。想他们就里，他们就里，将人轻贱。非爹胡缠，怕被人传。相府公侯女，不能嫁状元。”第一句“书生愚见”与第二句“忒不通变”，下板处，同在第一字与第四字上，而“见”字一板，与“忒”字一板，恰好相联。故〔桂枝香〕曲第二句上，不妨加几个衬字，歌时两板相去甚近，尽赶得上板也。“将人轻贱”、“非爹胡缠”二句，亦然。而“被人传”之“被”字一板，与上句“缠”字一板，又是相联，亦可加入衬字。“相府公侯女，不能嫁状元”二句，其“女”字一板，与“不”字一板，又是相联，亦可加入衬字。再以《红梨·亭会》折证之，自豁然矣。词云：“月圆明镜，好笑我贪杯酩酊。忽听窗外喁喁，似唤我玉人名姓。我魂飞魄惊，我魂飞魄惊。便欲私窥动静。争奈我酒魂难定，我睡瞢腾，只落得细数三更漏，长吁千百声。”词中所用“好笑我”“便欲”“争奈我”“只落得”诸字，皆是衬字，皆就板式紧密处加入之。歌者全不费力，且反有疏密清逸之致，此真词林老手也。（《红梨》为明徐复祚撰。复祚字阳初，自号洛诵生。常熟人。所作颇多，以《一文钱》《红梨》为佳。）

（四）曲牌之套数宜酌也

南曲套数，至无一定，然自梁伯龙《江东白苧》词后，其联络贯串处，又似有一定不可更改之处。大抵小出可以不拘（所谓小出者，为丑净过脉戏，俗谓之饶戏，或用〔驻云飞〕数支，每支换韵者，如《长生殿·看袜》之类，或用〔水底鱼〕数支，有换韵、有不换韵，《长生殿·陷关》之类是也），大出则全套曲牌，各有定次，前后联串，不能倒置。（若用集曲，则亦可不拘，如《独占》之〔十二红〕、散曲之〔巫山十二峰〕、《思乡》之〔雁鱼锦〕是也。）作者顺其次序，按谱填之，不可自作聪明，致有冠履倒易之诮。惟用同牌曲四支，与〔换头〕并用者，则〔尾声〕可以不用矣。《琵琶》中如《规奴》之〔祝英台〕四支、《梳妆》之〔风云会四朝元〕四支、《登程》之〔甘州歌〕四支，及《紫钗》中《插钗》之〔绵搭絮〕四支皆是也。顾间亦有用〔尾声〕者，文人笔墨歌舞之际，一时收束不来，明知破例为之而已。盖南曲套数之收束，全在〔尾声〕之得宜。沈宁庵作《南曲谱》，其于〔尾声〕，再三注意。词人填词时，至〔尾声〕处，已是强弩之末，其能兴会淋漓，如前所云收束不来者，十中难见一二也。故填词家若欲套数得宜，牌名匀称者，宜取元明以来传奇、散曲效法之。所谓效法者，当择传奇、散曲中之佳者，如《琵琶》《幽闺》《浣纱》诸记是也。先将戏中情节悲欢喜怒之异，辨析清楚，然后择定用某宫某套（如仙吕宫之〔忒忒令〕一套“宜清新绵邈”，越调之〔小桃红〕一套宜“淘写冷笑”，皆详《南曲谱》中），再将《南词定律》，检出所用各曲，依谱填之，则自无位置舛错之病。虽然，此特为守定旧谱成套而言也，若欲自立新套，则〔尾声〕不可不注重矣。即如仙吕一宫，其旧套所存者尚多，如〔步步娇〕〔醉扶归〕〔皂罗袍〕〔好姐姐〕〔尾声〕一套，或〔忒忒令〕一套，或〔叠字锦〕一套，普通所用者，不下六七套。至于自联套数，则前后位置，颇宜斟酌，而〔尾声〕平仄，尤须因时制宜，不可拘定旧式焉。大抵曲有粗细，细者可用赠板，宜置前列，粗者仅用正板，宜列后幅，〔尾声〕则视所用宫调为准。说详后“十知”篇。（凡〔尾声〕，总用十二板，无论句法若何，统计总不出此数，故又谓〔十二时〕，又谓〔意不尽〕。）

以上四条，为南曲家必须留意处，非谓以此范天下之人也。套式之最不可遵守者，莫如李日华之《南西厢》。何也?《西厢》之所以改为南曲者，以王实甫北词，止便于弦索，不利于笙笛，止便于弋阳俗腔，不利于昆调雅奏。日华即以北词之句读，改为南词之音律，可谓煞费苦心。顾以字句之勉强，本宫套中不能联络者，往往借别宫调中与北词原文句法相类之曲（如〔寄生草〕改为〔江儿水〕之类），任填一曲，乃至套式前后，高亢不伦，一折之中，出宫犯调，至少终有一二处。学者苟照此填词，未有不声律怪异者，万不可从。

第八章　论韵

欲明曲韵者，先须识声、音、韵三说。盖一字之成，必有首、有腹、有尾。声者，出声也，是字之首。孟子云："金声而玉振之。"声之为名，盖始事也。音者，度音也，是字之腹。韵者，收韵也，是字之尾，故曰余韵。三者之中，韵居其殿而最为要。凡字之有韵，如水之趋海，其势始定。故古来律学之士，于声与音，虽讨论至精，而唯审韵，尤兢兢焉。然韵理精微，而法又烦苛。又古今诗骚词曲，体质不同，因造损益，相沿亦异，拟为指示，益增眩惑。今姑以唐人诗韵为准，而约以六条，简之则统韵之繁，精之则悉韵之变，标位明白，庶便通晓。一曰穿鼻，二曰展辅，三曰敛唇，四曰抵腭，五曰直喉，六曰闭口。穿鼻者，口中得字之后，其音必更穿鼻而出，作收韵也，东、冬、江、阳、庚、青、蒸七韵是也。展辅者，口之两旁角为辅，凡字出口之后，必展开两辅，微如笑状，作收韵也，支、微、齐、佳、灰五韵是也。敛唇者，口半启半闭，聚敛其唇，作收韵也，鱼、虞、萧、肴、豪、尤六韵是也。抵腭者，其字将终时，以舌抵上腭，作收韵也，真、文、元、寒、删、先六韵是也。直喉者，收韵直如本音者也，歌、麻二韵是也。闭口者，却闭其口，作收韵也，侵、覃、盐、咸四韵是也。凡三十平声已尽于此，上去即可缘是推之。唯入声有异。因列《唐人韵四声表》以钩稽之，斯理尽矣。凡是六条，其本条之内，往往可通，其外者即不相借假。或有通者，必竟作别读，乃相通耳。古今韵学，离合递变，原其大略，不外于斯。能缘是六条，极求精诣，一贯之悟，于是乎在。因先列唐人韵目，后列四声表。

唐人韵目

上平声十五部：据孙愐《唐韵》目而更详唐人所并用者，凡一百零七部。一东、二冬钟并用、三江、四支脂之并用、五微、六鱼、七虞模并用、八齐、九佳皆并用、十灰咍并用、十一真谆臻殷并用、十二文、十三元魂痕并用、十四寒桓并用、十五删山并用。

下平声十五部：一先仙并用、二萧宵并用、三肴、四豪、五歌戈并用、六麻、七阳唐并用、八庚耕清并用、九青、十蒸登并用、十一尤侯幽并用、十二侵、十三覃谈并用、十四盐添严并用、十五咸衔凡并用。

上声三十部：一董、二肿、三讲、四纸旨止并用、五尾、六语、七麌姥并用、八荠、九蟹、十贿海并用、十一轸准隐并用、十二吻、十三阮、十四旱缓并用、十五潸、十六铣狝并用、十七筱小并用、十八巧、十九皓、二十哿果并用、二十一马、二十二养荡并用、二十三梗耿静并用、二十四迥、二十五拯等并用、二十六有厚黝并用、二十七寝、二十八敢、二十九琰忝俨并用、三十豏槛范并用。

去声三十部：一送、二宋用并用、三绛、四真至志并用、五未、六御、七遇暮并用、八霁祭并用、九泰卦怪夬并用、十队代废并用、十一震稕焮并用、十二问、十三愿恩恨并用、十四翰换并用、十五谏裥并用、十六霰线并用、十七啸笑并用、十八效、十九号、二十箇过并用、二十一祃、二十二漾宕并用、二十三映诤劲并用、二十四径、二十五证嶝并用、二十六宥候幼并用、二十七沁、二十八勘阚并用、二十九艳㮇酽并用、三十陷鉴梵并用。

入声十七部：一屋、二沃烛并用、三觉、四质术栉并用、五物迄并用、六月没并用、七曷末并用、八黠辖并用、九屑薛并用、十药铎并用、十一陌麦昔并用、十二锡、十三职德并用、十四缉、十五合盍并用、十六叶帖业并用、十七洽狎乏并用。

称唐人韵者，别于孙愐之《唐韵》也。愐韵本冬复有钟，支复有脂之者，殆是沈约之古本。今既并用，为一百七部，平三十，上三十，去三十，入十七。细案唐人用韵，无弗相符，故列其目。

唐人韵四声表

	平	上	去	入	
穿鼻	东	董	送		入声无穿鼻韵
穿鼻	冬	肿	宋		入声无穿鼻韵

续表

	平	上	去	入	
穿鼻	江	讲	绛		入声无穿鼻韵
展辅	支	纸	寘	质陌职	质陌职俱承寘，陌又承泰，职又承泰、又承队
展辅	微	尾	未	物	
敛唇 敛唇	鱼 虞	语 麌	御 遇	药	药两承御遇，又三承啸效号
展辅	齐	荠	霁	月屑锡	月屑锡俱承霁，月又承队
展辅	佳	蟹	泰	陌职	陌职俱承泰，陌又承寘，职又承寘、又承队
展辅	灰	贿	队	月职	月职俱承队，月又承霁，职又承寘、又承泰
抵腭	真	轸	震		入声无抵腭韵
抵腭	文	吻	问		入声无抵腭韵
抵腭	元	阮	愿		入声无抵腭韵
抵腭	寒	旱	翰		入声无抵腭韵
抵腭	删	潸	谏		入声无抵腭韵
抵腭	先	铣	霰		入声无抵腭韵
敛唇 敛唇 敛唇	萧 肴 豪	萧 巧 皓	啸 效 号	沃 觉 药	沃觉药俱三承啸效号，药又两承御遇（沃觉药派入萧肴豪内皆可通用）
直喉	歌	哿	个	曷	
直喉	麻	马	祃	黠	
穿鼻	阳	养	漾		入声无穿鼻韵
穿鼻	庚	梗	映		入声无穿鼻韵
穿鼻	青	迥	径		入声无穿鼻韵

续表

	平	上	去	入	
穿鼻	蒸	拯	证		入声无穿鼻韵
敛唇	尤	有	宥	屋	
闭口	侵	寝	沁	缉	
闭口	覃	感	勘	合	
闭口	盐	琰	艳	叶	
闭口	咸	豏	陷	洽	

四声表者，统四声于六条者也。六条者，穿鼻，展辅之分，计凡六也。何以托诸《唐韵》？因古近之适中也。其法一经一纬，六条为经，四声纬之。其表韵之理有二，一曰案文，二曰寻声。夫穿鼻，抵腭无入，故入之部少。然入与三声，又不相为伦，故表韵莫难于判入。质之承寘，显矣，犹亲嫡也。质去声为交质之质，即四寘之音也。郅侄之属从至，崒踤之属从粹，此案文得之也。思入为虱，离入为栗，此寻声得之也。陌则半寘半泰，何也？易，即容易之易为入也。刺，即刺客之刺为入也。此从寘来者也。画之去声在泰，陌有益嗌，泰有隘搤，文与声俱近也。又如白伯魄客之属，曲韵俱派入皆来。而曲韵皆来，即诗韵佳灰，又可引伸其类者也。夫泰佳之裔也，此所以半寘半泰也。职则半真半泰半队，何也？食织之去声皆在寘，而亿臆从意，意亦寘也。北塞之去声皆在队，而色侧测墨之属，曲韵亦俱派入皆来。而曲韵皆来，即诗韵佳灰，泰与队，俱灰之裔也。此所以半寘半泰半队也。物微之入也，

亦可以寻声得之也。尉也乞也，亦未亦物，此可以案文得之也。药，鱼虞之入也。朝列之位为著，而著亦入药。汉廉范之谣曰："廉叔度，来何莫。不禁火，民安作。昔无襦，今五袴。""度""莫""作"皆入药也。去之御遇，即平之鱼虞也。药又承萧肴豪，何也？二萧有熇，而熇亦入药，十八啸有约有爝，而约爝亦入药，十九效有乐，而乐亦入药，二十号有凿，而凿亦入药，此其验也。月承霁又承队，何也？厥、揭，霁之人也。孛，队之入也。屑锡之俱承霁者何？切、契、闭、说从霁来入屑者也。梁沈约《郊居赋》曰"雌霓连蜷"，"霓"从齐来入锡者也。从齐，即从霁也。泰承蟹不承贿，贿之于队，犹蟹之于泰也，皆亲嫡也。一屋二沃，音本相近，而以沃承啸效号，何也？沃从夭也，鹄从告也，襮从暴也，纛告之去声入号也，皆其验也。觉之承啸效号也，穛从焦也，箭从筲也，雹从包也，觉乐之去声入效也，皆其验也。歌之入为曷，而麻之入为黠也。古曲如渴字、喝字、葛字、割字、抹字、阔字、活字、夺字、脱字、豁字，皆七曷也，而唱入歌戈。八黠则读之自与六麻叶，可亡论已。屋之承宥何也？读音豆也，蔟音辏也，柚音狖也，肉音鞣也，宿音秀也，缪音谬也，皆其一系相承者也。《王风》："中谷有蓷，暵其修矣。有女仳离，条其啸矣。条其啸矣，遇人之不淑矣。""修""淑"相叶，此古文可证也。北人呼六为溜，此方音可证也。缉、合、叶、洽四入声皆闭口，据柴氏《古韵通》之言，使缉非闭口必入职，使合洽非闭口必入黠，使叶非闭口必入屑。今皆别隶者，正与沁、勘、艳、陷相贯联，皆闭口矣。平上去相承易晓，而穿鼻、抵腭无入声，故无论焉。然声音万变而韵无方，未可摘次以求，辄约略其端，以俟神解。

尚有注意者，南曲入声，俱可单押，不必叶入平上去三声是也。或有谓单押处，仍作三声唱。如〔画眉序〕单押入声，首句韵便应作平声唱，末句韵便应作去声唱。〔绛都春序〕单押入声者，首句韵便应作上声唱，是仍以入作平上去，何不仍隶入三声中邪？不知北曲之以入隶于三声也，音变腔不变。如元人《张天师》剧〔一枝花〕“老老实实”，“实”字《中原音韵》作平声，绳知切，是变音也。〔一枝花〕第五句，谱原应用平声，而此处恰填平字，平声字以平声腔唱，是不须变腔也。《东堂老》〔醉春风〕“倘来之物”，“物”字《中原》作务，是变音也。〔醉春风〕末句韵，谱应去声，而此处恰填去字，去声字以去声腔唱，是不须变腔者也。若南曲〔画眉序〕，《明珠记》“金盏泛蒲绿”，“绿”字直作绿音，不必如北之作虑，此不变音也。〔画眉序〕首句韵应是平声，歌者虽以入声吐字，而仍须微以平声作腔也，此变腔也。其〔尾声〕云：“可惜明朝又初六”，“六”字竟作六音，不必如北之作溜，此不变音也。然〔画眉序〕〔尾声〕末句韵，应是平声，则歌者虽以入声吐字，而仍须微以平声作腔者也。此北之与南，虽均有入作三声之法，而实殊者也。又北曲之以入隶三声有定，如某入声字作平声，某入声字作上，某入声字作去，一定不移。若南之以入唱作三声也，无一定法，凡入声字俱可以作平、作上、作去，但随谱耳。如用毂字，而此字谱当是平声，则吐字唱毂，而作腔便可唱如窝；谱当上声，则吐字唱毂，而作腔便可唱如窝之上声；谱当去声，则吐字唱毂，而作腔便可唱如窝之去声，非如北曲毂字之定作古也。余皆可推。此又与北曲殊者也。故混入三声，则与北曲无别，且亦难于分派。若如北曲法，竟废却入声，又四声不完，所以别出单押之法，而随谱变腔为定也。又南曲系本填词而来，词家原备有四声，而平上去韵可以通用，入声韵则独用，不溷三声。今南曲亦通三声，而单押入声，正与填词家法吻合，益明源流之有自矣。

第九章　正讹

戏曲有相传既久，致讹字间出，或系刻本之误，或为俗子所改，致撰人叫屈，识者贻嗤，不一而足。如《西厢》“风欠酸丁”之“欠”，俗子作耍字音，至去其字之转笔处一“丿”，并字形亦为改削，不知字书从无此字。元贾仲名《萧淑兰》剧〔寄生草〕曲：“改不了强去声文憋醋饥寒脸，音敛，不作检音。断不了诗云子曰酸风欠，离不了之乎者也腌穷俭。”以“欠”与“脸”“俭”叶韵，明白可证。盖起于南人但知有“风耍”俗语，不知北音，遂妄倡是说。不意金在衡辈，亦为所误，记之正讹。夫使果为“风耍”之义，何不径用“耍”字，而以“欠”字代之耶？其在《琵琶记》者尤多。如《请粮》〔普天乐〕，原以家麻、歌戈二韵通用。其云“岂忍见公婆受饿”，正与上“弟和兄更没一个”，下“直恁摧挫”相叶，却改作“受馁”。又有从而附和之者，以为避俗。夫《琵琶》久用本色语矣，“饿”字亦何俗之有，乃妄改之，而反以不韵为快耶？《成亲》〔女冠子引〕“丈夫得志佳婿乘龙”，与上下入声“簇”“促”韵全不叶，或改作“坦腹”，于韵是矣，而与后之“兀的东床难教我坦腹”，又犯重复，直是难择，则是东嘉自误。〔双声子〕“娘介福”，用《诗经》语，俗子改作“分福”，以不识“介”字义，又与“分”字字形相近之故，后复改作“万福”，又“万”与“分”相近之故也。《剪发》〔香罗带〕第三调“堪怜愚妇人”，下当云“单身又贫”，“贫”却易为“穷”，亦误。记中每对偶甚整，或谓“孔雀屏开”，当作“开屏”，与下“芙蓉隐褥”相对，此词隐于考误已正之矣。又尝疑“新篁池阁”“槐阴庭院”二语，“槐阴”与“新篁”不对，必有误字。“新篁”当以“高槐”为对乃的，孟郊诗“高槐结浮阴”，非无出也。即此曲，前云“深院荷香满”，又“只管打扇与烧香”，又“一架荼蘼满院香”，下又云“香肌无暑”，又“一点风来暗香满”，又“香奁日永”，又“香消宝篆沉烟”，又“怎还得黄香愿”，又“猛然心地热透香汗”，又“只觉荷香十里”，又“清香泻下琼珠贱”，连用十一“香”字，重叠之甚。而“香满”“香奁”“香消”三句叠用，尤为不妥。有改“香奁”作“湘帘”者，与上“蔷薇帘幕”又重，不可强为之解。本折落场诗“欢娱休问夜如何，此景良宵能几何”。两“何”字亦重，下“何”字盖“多”字之误耳。他如《明珠记》〔二郎神换头〕“果然是萍水相遭”，与上文之“问分晓”，下文之“郎年少”相叶，因坊本误刻，而皆唱作“相逢”。又《红拂记》〔古轮台〕“刺船陈儒”，“刺”字或作次音，或作辣音，皆非，当音作戚。陈儒谓陈平也，刺船事见

《史记》，却无正音。《庄子·渔父篇》注音戚，此可为证。〔懒画眉〕“只得颠倒衣裳试觑渠”，“倒”字皆唱作上声。夫去声则颠倒之义也，上声则倾倒之倒，于义不协矣。此则起于朱子注诗，《诗》言：“东方未明，颠倒衣裳。颠之倒之，自公召之。”下“颠之倒之”，即复说上文“颠倒”二字之辞，其实一也。却于上“倒”字音作上声，而下“倒”字音作去声，此何说也？又“撇道”，北人调侃说脚也。汤海若《还魂记》末折“把那撇道儿搭长舌楂”，是以“撇道”认作嗓子也，误甚。又散套“窥青眼”曲〔白练序换头〕“萧郎信渺茫下”，旧谱原作“还追想当年处士庄”，《词选》作“漫留下当年系马桩”，俚甚，非。白语“眼望旌节旗，耳听好消息”，出元人杂剧，今皆讹作“旌捷旗”，然似不如“捷旌旗”，与下“好消息”对为的。“凭君走到夜摩天”，“夜摩天”语出《藏经》，今皆讹作“焰摩天”。“不如意事常八九，可与言人无二三”，谓可与语言之人难得也，今讹作“可与人言”。“两叶浮萍归大海”，盖本白乐天“与君何处重相遇，两叶浮萍大海中”诗语。词隐唱曲当知，以为非是，或偶未见此诗耳。大抵刻本中误处，须以意理会，不可因仍其误。彼优人俗子，既不能晓，吾辈又不为是正，几何不令千古聩聩耶？

第十章　务头

务头之说，《中原音韵》于北曲胪列甚详，南曲则绝无语及。沈宁庵作《南曲谱》，但注意于去上之间，未尝斟酌此事。鞠通《新谱》，多取新声，而此意亦未论定，实一大缺点也。南北词总是一法，凡调中最紧要句字，揭起其音，而宛转其词，如俗所谓做腔处，每调或一句或二三句，每句或一字或二三字，即是务头。旧传〔黄莺儿〕第一七字句，〔皂罗袍〕第七句是务头。古人凡遇务头，皆施俊语，或用古人成语一句在上，昔人所谓如众星中显一月之孤明也。今以周德清之言释之。其言曰："要知某调某句某字是务头，可施俊语于其上。"据此则每调务头，皆有定式。顾周氏书中，所列定格四十首，则又不尽然，往往注明务头在第几句上，又似可随意通融者。盖务头者，曲中平上去三音联串之处也。如七字句，则第三、第四、第五之三字，不可用同音。大抵阳去与阴上相联，阴上与阳平相联，或阴去与阳上相联，阳上与阴平相联。每一曲中必须有三音或二音相联之一二语，此即务头处也。（此就北曲言，与前《阴阳》篇中所论南曲不同。）即就周氏定格证之。如白仁甫〔寄生草〕曲云："长醉后方何碍，不醒时有甚思。糟腌两个功名字，醅渰千古朝廷事，麹埋万丈虹蜺志。不达时皆笑屈原非，但知音尽说陶潜是。"词中用"醒时"二字，为阴上与阳平相联；"古朝"与"屈原"（屈作上）四字，亦然；"有甚"二字，为阴上与阳去；"尽说陶"三字，为阳去阴上阳平，皆是务头也。又〔醉中天〕云："疑是杨妃在，怎脱马嵬灾。曾与明皇捧砚来，美脸风流杀。叵奈挥毫李白，觑着娇态，洒松烟点破桃腮。"此咏佳人黑痣，词极佳妙。"马嵬""与明"四字，为阴上阳平；"捧砚""点破"为阴上阳去，皆是务头也。又宫大用〔醉扶归〕云："十指如枯笋，和袖捧金尊。搊煞银筝事不真，揉痒天生钝。纵有相思泪痕，索把拳头揾。"词中"指如""煞银""把拳"六字，皆阴上阳平；"事不真"则阳去阴上阴平，皆是务头。故周氏所谓"要知某调某句某字是务头"者，盖填词时宜知某调某句某字是务头也，即谓当先自定以某句某字为务头，为之定上去、析阴阳也。所谓"可施俊语于其上"者，盖务头上须用俊语实之，不可拘牵四声阴阳之故，遂至文理不顺也。南曲则宁庵谱中所注去上、上去诸处，即可作为务头，皆当恪守之，再取合律好曲，反复歌唱，谛其曲折，然后命笔，自无不合务头之病。明初宁献王有《务头集韵》三卷，纯采古人妙语，辑以成书，惜乎不传。至杨用修不知务头之理，云是"部头"之误，宜为弇州所笑也。

第十一章　十知

前《作法》上下两篇，备言填词之理，专为作者立论。尚有数事，不论填词、度曲、制谱，皆当洞悉者，复条论之。

（一）字义

识字之法，当本《中州》。而《中州》之音，未尝无土字，故当知反切。《乐府传声》所论开齐撮合及阴阳清浊之理甚详，不独度曲者当知，即作者亦当慎重用字也。至于字义，尤须考究，作曲者偶一误用，致为识者讪笑。如梁伯龙《浣纱记》〔金井水红花〕曲："波冷溅芹芽。湿裙衩，娇羞谁讶。"此"衩"字法当用平。而"衣衩"之"衩"属去声。李义山诗云："八岁偷照镜，长眉已能画。十岁去踏青，芙蓉作裙衩。"此其明证。于是改作"靫"，"靫"字平声，合律矣。然"靫"，箭袋也，不可施诸女子之口，作谱者遂强作阴平声歌之，至今如故也。此其失自陈大声始。大声散套〔节节高〕云："莲舟戏女娃，露裙衩。"伯龙和之。而汤若士《还魂·寻梦》折〔懒画眉〕云：“睡荼蘼抓住裙衩线。”歌者以去声叶之，至不合〔懒画眉〕腔格。又《浣纱》〔刘泼帽〕曲云：“娘行聪俊还娇倩，胜江南万马千兵。”不知“倩”有二音，一雇倩之倩，作清字去声读；一音茜，即巧笑倩兮之倩，言美也。此曲字义当作茜音，今却押庚青韵中。又车字有二音，一音尺遮切，《庄子》“惠施多方，其书五车”是也；一音居。《拜月》〔玉芙蓉〕曲“胸中书富五车，笔下句高千古”，此调当两句各押一韵。下句云“高千古”，则上句作居音，而世无呼作“五车”（作居音）书之理。今歌者皆从尺遮切，宁韵不协，不作居音。此皆歌者不误而作者误也。叹字亦有二音，一平音作滩，一去声作炭。《琵琶·赴选》折末白：“仗剑对尊酒，耻为游子颜。所志在务名，离别何足叹?”此“叹”字平声，与上“颜”字叶。后〔玉交枝〕曲“别离休叹，我心中非不痛酸”，此“叹”字当作去音，与下句“非爹苦要轻拆散”句互叶。今优人皆一律作去声唱，是作者不误而习者误也。他如瘿之音为颖，颈瘤也。郑虚舟《玉玦记》“却教愧杀瘿瘤妇”，认作平声。《庄子》“藐姑射山”之“射”音亦，巾栉之栉音卒，而汪南溟《高唐梦》〔高阳台换头〕云：“姑射，山色岚宠，神人绰约，云是肌肤冰雪。绝代无双，不数庄生陈说。停辙，倘然得遇春风面，又何用轻身巾栉。最关情，荒台云雨，楚宫湮灭。”是以“姑射”之“射”，“巾栉”之“栉”，与“雪”“灭”同押矣。

又〔醉罗袍〕云："玉貌玉貌多娇怯，象服象服称秾纤，蛾眉侵入鬓云斜。一曲初生月。"〔香柳娘〕曲云："总千金莫邪，蛟龙可歼，恩情难绝。"又云："笑长安狭邪，刻画自无盐，笙歌罢精列。"又以"纤""歼""盐"三字，押入车遮韵中。此皖人土音也。又云："招魂未得，空歌楚些。""些"字本宋玉《大招》，音苏个切，作梭字去声读。惟些少之些，是平声，今与车遮同押，此又大误也。至《浣纱》又以"些"字与妻、飞、眉、翠同押，如〔出队子〕云："描红贴翠，谁似当朝太宰妻。尺三小脚走如飞，八九寸弯弯两道眉。尽说轻盈，略觉胖些。"以"些"字作西字音，此又苏州土音矣。偶举数则，见世俗沿讹之多，然则填词与度曲，可不以考文为事耶？

（二）章法

套数之曲，元人谓之乐府，与辞赋同一机轴，有起有止，有开有合，须先定下间架，立下主意，排下曲调，然后选句成章，切忌凑插，切忌将就，务如常山之蛇，首尾相应，又如鲛人之锦，不着一丝纰颣，意新语俊，字响调圆，增减一调不得，颠倒一调不得，有规有矩，有色有声，众美具矣。而其妙处，正不在声调之中，而在句字之外，又须烟波渺漫，姿态横逸，简之不得，挹之不尽，摹欢则令人神荡，写怨则令人肠断，不在快人，而在动人，此所谓风神，此所谓标韵，动吾天机，不知所以然而然，方是神品。求之古人中，亦不易多得。小令如唐六如、祝枝山辈，皆小有致，而祝多俚语。康对山、王渼陂、常楼居、冯海浮，直是粗豪，原非本色。陈秋碧、沈青门、梁伯龙、李日华、金白屿，时有合作，然较之元人，不止上下床之别也。以余所见散套，明人止一施子野，清人止一赵庆熺而已。云间许宝善亦善填词，著有《自怡轩乐府》，顾不及赵。古曲如“窥青眼”“暗想当年罗帕上曾把新词写”“因他消瘦”“楼阁重重东风晓”“人别后”诸曲，举世所谓绝妙好辞也，往往凑集掇拾，牵强失次，如理乱丝，不见头绪。今不具论。姑以“暗想当年”“人别后”二套言，毋论意庸语腐，不足言曲，亦且疵病种种，不可胜举。“暗想当年”一套，首曲用〔步步娇〕，首句止应七字，而“暗想当年罗帕上曾把新诗写”，连用五衬字，已非法矣。第三句照格止五字，原文云“心猿乖意马劣”，改为折腰句。第四、五句“软玉温香，翠拥红遮”，语气不贯，且空无着落。末二句“琴瑟正和协，不觉花影转过梧桐月”，意复不接。第二曲〔沉醉东风〕，又起一意，特此曲语意颇佳，至末后亦词华烂熳，但只是一意敷衍，又不当与后曲〔忒忒令〕〔湘江竭〕〔燕山截〕〔断鱼封雁贴〕相妨，盖真无足取也。“人别后”一套，旧谱云是高则诚作。其词云：“〔二郎神〕人别后，正七夕穿针在画楼。暮雨过、纱窗凉已透。夕阳影里，见一簇寒蝉衰柳。水绿蘋香人自愁，况轻折鸾交凤友。得成就，真个胜腰缠跨鹤扬州。〔前腔换头〕风流。恩情怎比，墙花路柳。记待月西厢携素手，匆匆话别，霎时雨散云收。一种相思两处愁，雁来时音书未有。（合前）〔集贤宾〕西风桂子香韵幽，奈虚度中秋。明月无情穿户牖，听寒蛩声满床头。空房自守，暗数尽谯楼更漏。如病酒，这滋味那人知否？〔前腔〕功名未遂姻缘未偶。共簇个眉头，恼乱春心卒未休。怕朱颜去也难留，明珠炫售。不如意十常八九。（合前）〔黄莺儿〕霜降水痕收，迅池塘已暮秋，满城风雨还重九。白衣人送酒，乌纱帽恋头，那人一似黄花瘦。强登楼，云山满目，遮不断许多愁。〔前腔〕惟酒可忘忧，奈愁怀不殢酒。几番血泪抛红豆，相思未休，凄凉怎守。老天知道和天瘦。（合前）〔猫儿坠〕绿荷萧索，无可盖眠鸥。浅碧粼粼露远洲，羁人无力冷飕飕。添愁，悄一似宋玉高唐，对景伤秋。〔前腔〕一簇红蓼，相映白蘋洲。傍水芙蓉两岸秋，想他娇艳倦凝眸。（合前）〔尾〕一年好景还重九，正是橘绿橙黄时候，强把金尊断送秋。”此套首曲，以“七夕穿针”起，而“寒蝉衰柳”“水绿蘋香”非七夕语。“得成就”二句，与上文不接。“腰缠跨鹤”句，比拟不伦。既曰“暮雨过，纱窗凉已透”，又曰“雨散云收”，又曰“满城风雨还重九”，用“雨”字太多。〔集贤宾〕首调言“中秋”，而“听寒蛩声满床头”，非中秋语。次调起句用八字，非体。既曰“虚度中秋”，又曰“见池塘已暮秋”，又曰“对景伤秋”，又曰“傍水芙蓉两岸秋”，又曰“强把金尊断送秋”，押“秋”字韵太多。既曰“水绿蘋香人自愁”，又曰“一种相思两处愁”，又曰“遮不断许多愁”，又曰“添愁”，“愁”韵亦太多。既曰“如病酒”，又曰“白衣人送酒”，又曰“惟酒可忘忧”，又曰“强把金尊断送秋”；既曰“水绿蘋香”，又曰“相映白蘋洲”；既曰“绿荷”，又曰“橘绿”；既曰“一种相思”，又曰“相思未休”；既曰“空房自守”，又曰“凄凉自守”；既曰“满城风雨还重九”，又曰“一年好景还重九”。一套中押二“柳”字，四“愁”字，五“秋”字，二“收”字，三“酒”字，二“头”字，三“九”字，二“瘦”字，杂凑可笑。其中“怕朱颜去也难留”三句，语意俱不相蒙，“白衣送酒”无谓，“几番血泪”句，与上文不接，“绿荷”“红蓼”“白蘋”“芙蓉”“橘绿”“橙黄”，何堆积至此！末句“断送秋”，复不成语。弇州评此曲，谓“不免杂以凡语”，疵病如此，讵止凡语已耶？总之，二曲无词家学问，一也；无大见识，二也；无巧思，三也；无俊语，四也；无次第，五也；无贯串，六也。故词家须扫去一切饾饤肤浅语为要。

（三）句法

一调有一调句法，当视板式为衡。如七字句，有宜上四下三者，有宜上三下四者。此间分别，都在板式。盖上四下三句法，如“锦瑟无端五十弦”，其板在“无”字、

"五"字、"弦"字上，读之如一句诗。若"五十弦锦瑟年华"，则板在"十"字、"锦"字、"年"字，而于"华"字下用一截板，见得此句已完。故作者当知句法，句法一误，无从下板矣。《桃花扇·传歌》折〔琐窗寒〕云："破瓜碧玉佳期，唱娇歌，细马骑。缠头掷锦，携手倾杯，催妆艳句，迎昏油壁。配他公子千金体，年年不放阮郎归，买宅桃叶春水。"此曲以文字论固佳，惟"配他公子千金体"句，法应上三下四。《荆钗》云："反教人挂肠悬胆。"《紫钗》云："还倚仗词锋八面。"板式皆合。今若依板法，则"子千金体"，复成何语。余尝谓《桃花扇》有佳词而无佳调，盖谓此等处也。至就文律言之，则曲中句法，宜婉曲忌直致，宜藻艳忌枯瘁，宜溜亮不宜艰涩，宜轻俊不宜重滞，宜新采不宜陈腐，宜摆脱不宜堆垛，宜温雅不宜激烈，宜细腻不宜粗率，宜芳润不宜噍杀。又总宜自然不宜生造，意常则贵造新语，语常则倒换须奇。他人所道，我则引避，他人用拙，我独用巧。平仄调停，阴阳谐协，上下引带，无所不宜。减一句不得，增一句不得。我本新语，而使人闻之若是旧句。言机熟也，我本生曲，而使人歌之容易上口。言音调也，一调之中，句句琢炼，毋令有市井语，毋令有欺嗓语。上字声谨慎用之，知一调低腔在宜何处，则方可用，切勿随便。积以成章，自无疵病矣。

（四）引子

此独传奇中有之，若作散套则不必用。盖一人出场，不能即说出剧中情节，于是假眼中景物，或意中情绪，略作笼盖词语，故谓之引，言引起下文许多话头也。北词中开首数曲，皆用散板，直至三四曲后，方用节拍，故不用引。南调则每曲有一定板式，惟〔赚曲〕〔不是路〕及〔红衲袄〕〔青衲袄〕无板。《燕子笺·骇像》折，引子后用〔不是路〕二曲，〔红衲袄〕二曲后，便直接〔尾声〕，通折无板，不足为法。而每色登场，势不能即唱曲词，乃用此法，则起讫有端，言之成章矣。通用诸牌，皆杂取词中小令、中令为之，间有长调如〔念奴娇〕〔薄幸〕〔东风第一枝〕〔尾犯〕诸类，或摘用一支，或即用〔本序〕作过曲。如〔祝英台引子〕后，即用〔祝英台序〕作过曲，《琵琶·规奴》折。〔高阳台引子〕后，即用〔高阳台序〕作过曲同上《拒姻》折。是也。其作法须以自己之肾肠，代他人之口吻，却须调停句法，检点字面，使一折中事，先以数语涵盖，勿晦勿泛，此是上谛。《琵琶》引子，首首皆佳，所谓开门见山，自是东嘉独步。《浣纱》范蠡冲场，而曰“尊王定霸，不在桓文下”，施之越王则可，今出大夫之口，不合矣。又越夫人引〔卜算子〕云：“金井辘轳鸣，上苑笙歌度。帘外忽闻宣召声，忙蹙金莲步。”是一宫人口吻。独西施一引〔绕池游〕

颇佳："苎萝山下，村舍多潇洒。问莺花肯嫌孤寡？一段娇羞，春风无那。趁晴明溪边浣纱。"余则非腐则漫。《玉玦》诸引，虽伤过文，然语俊调雅，不失文人之笔。《还魂》《紫钗》各引，时见警策，此因若士寝馈元词至深，故有此境。《明珠》引子，常用古人旧词，或改易一二句，此法明人正多，如汤、沈辈皆有。究不足为法。向来唱引子者，皆于句尽处用一底板。词隐于用韵句下板，其不韵句止以小鼓点之，分清句读，最是妙法。今歌者每句用小锣小鼓，实是不当。

（五）过曲

过曲即是正曲。所以云过者，谓从引子过脉到正曲也。南词套数，虽不如北曲之严，然一宫之中，苟无他情节，终联成一套。即有间入他宫他调者，而其所用管色，仍复相同也。散套难于传奇，以有宾白相间，可各就白文之意，试填一二曲，后文再就宾白生意，故通套重复者少。散曲则不然，须先谋篇幅，一意贯串，不比传奇中每支可逐段生意也。其间换头正曲之别，前后脉落之微，皆须留意。宫调中可以通用者，如正宫、中吕诸曲，不妨互相借用。至若不可相通之调，如商调与中吕、南吕与道宫，则万不能联作一套。此格律宜细也。又南词每套，自二三曲后，必须抽板。此抽板曲上，切勿多用衬字，缘板式既简，唱来自快，衬字一多，赶板不及。〔尾声〕首句用腰板，切勿加衬字（见前《作法下》）。若就文字言之，大抵不外两途：大曲宜施文藻，然忌太深；小曲宜用本色，然忌太俚，须奏之场上，不论衣冠市井，以及村童野老，无不通晓，始称通方。最要落韵稳当，如《琵琶》“手指上血痕尚在衣麻”，将“麻衣”二字倒用，《红拂》“鬓云撩”，下无“乱”字，是歇后语矣，此皆趁韵，切须检点。又不可令有败笔语。《琵琶》〔侥侥令〕既云“但愿岁岁年年人常在，父母共夫妻相劝酬”，下又云“夫妻长厮守，父母愿长久”，说过又说，至“两山排闼”二句，与上下文何涉？〔尾声〕“惟有快活是良谋”，直张打油语矣。用韵须是一韵到底方妙。屡屡换韵，毕竟才短，不得以《琵琶》《拜月》为藉口。若重韵则正不必拘，古剧皆然，避而牵强，不若重而稳协也。然如“人别后”套，重韵至四五处，则又万万不可。

（六）尾格

〔尾声〕结束一篇之曲，须是愈着精神，末句尤须以极俊语收之方妙。凡北曲，〔煞尾〕定佳。作南曲者，往往潦草收场，徒取完局，戏曲中佳者绝少。惟汤若士“四梦”中〔尾声〕，首首皆佳，顾又多衬字。如《紫钗·钗圆》折云：“再替俺烧一炷誓盟香，写向乌丝阑凑尾。”竟如北词，亦不病也。各宫调尾，或平煞，或仄煞，各有定格。词隐虽胪列谱中，顾但有其名，未实以词，学者往往误用。又〔尾声〕总论，虽注定平仄板式，亦无词句，究不能引起填词人兴味。今列下：

㊀仙吕羽调之尾，名〔情未断煞〕，“衷肠闷损”套尾是：

向人家忙投奔，解鞍沽酒共论文，雨打梨花深闭门。

㊁黄钟尾，名〔三句儿煞〕，“春容渐老”套尾是：

潜踪蹑足行来到，切莫使夫人知道，受过凄凉休忘了。

㊂正宫调大石调尾，名〔尚轻圆煞〕，“祝融南度”套尾是：

银河动玉露低，且一向南窗少憩，明夜纳凉又这里。

㊃商调尾，名〔尚绕梁煞〕，“那日忽睹多情”套尾是：

冤家下得忒薄幸，割舍的将人孤另，那世恩情做画饼。

㊄中吕低一格尾，般涉调尾，名〔尚如缕煞〕，“料峭东风”套尾是（即世所谓〔意不尽〕也）：

从今酩酊眠芳草，高把银烛花下烧。韶光易老，休将春色辜负了。“韶光易老”句止用一板，或在“易”字上，或在“老”字下皆可。

㊅中吕高一格尾，名〔喜无穷煞〕，“子规声里”套尾是：

欲凭妙手良工笔，仔细端相仔细题，做个丹青扇面儿。

㊆道宫尾，名〔尚按节拍煞〕，“新篁池阁”套尾是：

光阴迅速如飞电，好凉宵可惜渐阑，拚取欢娱歌笑喧。

又一体

是则春光今已去，频使人伤情怨忆，梅也酸心柳皱眉。

㊇南吕尾，名〔不绝令煞〕，“明月双溪”套尾是：

神思恹恹如病酒，房栊寂静忆凤俦，十二珠帘懒上钩。

㊈越调尾，名〔有余情煞〕，“炎光谢了”套尾是：

观花爱月人年少，但对酒当歌欢笑，月夕花朝蹉过了。

㊉小石调尾，名〔收好因煞〕，“花底黄鹂”套尾是：

今宵共约同欢会，先教个从人归去，安排办了筵席。

⑪双调尾，名〔有结果煞〕，“箫声唤起”套尾是：

饶君使尽机谋彻，止不过负心薄劣，梦儿里对他分说。

共十一格。学者各就本宫调用之，勿乱次序。平仄板式，皆当遵守之。又有所谓〔本音煞〕者，谓之〔随煞〕，盖不用〔尾声〕，将本套末句，唱得缓些，即作煞声是也。如《琵琶·陈情》折，〔归朝欢〕第二曲末句“也只是为国忘家敢惮劳”，唱时略缓，摇曳其音，即作收尾也。又凡一调作二曲，或四曲、六曲、八曲，及两调各止一二曲者，俱不用尾。

（七）集曲

集曲本名犯调，乾隆时修《大成谱》，乃改此名。盖取各曲中一二语，联缀合成一曲，而别立一名。自有此法，而新声乃日出不穷矣。大抵曲中之犯，与词中之犯大异。词注重于起调毕曲，其所犯者声。姜尧章所谓仙吕宫上字住，道调宫亦上字住，故于仙吕曲中犯道调，或道调曲中犯仙吕是也。惟刘改之〔四犯剪梅花〕，实是曲家犯调之法。曲家所云犯调，竟是割裂词句，于结声起调，毫无关系，独宫调中须取管色相同者用之。王伯良谓诸宫调惟仙吕可与双调出入，其余界限綦严，不得陵犯。又云高平调与诸调皆可出入，此说不甚合也。仙吕用工调，双调用正工调，旧谱中仙吕入双调一门，有用工调者，有用正工者，颇不一律。且如〔步步娇〕〔忒忒令〕，既入仙吕入双调，而〔皂罗袍〕〔好姐姐〕，又入仙吕，夹杂无伦，实不足为法。高平一调，系用小工，所订字谱，又高亢激耳。藉曰诸调皆可出入，试用〔清平乐〕今入小石、〔蓦山溪〕〔夜合花〕今入大石诸曲，与〔二郎神〕〔集贤宾〕合奏，可乎不可乎？即如商黄调一门，《新谱》中亦载之。其实以商调、黄钟两调合成，亦集曲耳，今别立一调名，则凡集曲中诸宫调出入者，皆可自立名目，不亦太繁乎？总之集曲之法，须看曲之粗细，板之紧慢，前调后调，配置须匀，前调板与后调板，须要联属，此与联套法相同。此最为紧要。古人集曲，如〔巫山十二峰〕〔金络索〕〔十样锦〕〔五月红楼别玉人〕皆佳，《长生殿·舞盘》折，用仙吕而夹入中吕，腔不能美听矣。或谓南曲本不配弦索，既云集曲，何必又拘宫调？不知南人固取按板，然未尝不合弦索也。且既集为一曲，须使唱得接贴融化，令不见痕迹，若乱次以济，卑亢不相入，即在一套中过搭偶误，如《还魂·冥誓》折。尚且棘口，何况一曲中乎？何元朗谓北曲大和弦是慢板，俗名清点。花和弦是紧板。如中吕〔快活三〕末句，放缓出口，接唱〔朝天子〕，皆是大和弦慢板，与上文紧板相错，何等节奏？今集曲中，长支者前半皆用赠板，亦是紧慢相错，但后半一紧而不复收，则不如北词缓急互用之为愈耳。

（八）衬字

古诗余无衬字，衬字自南北二曲始。北曲配弦索，虽繁声稍多，不妨引带。南曲取按拍板，板眼紧慢，皆有定数，衬字一多，抢带不及，调中正字，反不分明。大凡对口曲，不能不用衬字。各同场大曲及散套，能不用愈佳。细调板缓，多用二三字，尚不妨。紧调板急，若多用一二字，便躲闪不迭。凡曲自一字句起，至二字、三字、四字、五字、六字、七字句止。惟〔虞美人〕调有九字句，然是引曲，又非上二下七，即上四下五。若八字、十字以外，大半皆是衬字。今人不解，将衬字多处，亦下实板，乃至主客不分，此是大误也。如《古荆钗记》〔锦缠道〕云：“说什么晋陶潜认作阮郎。”“说什么”三字，是衬字也。而张伯起《红拂》〔锦缠道〕云："我有屠龙剑钓鳌钩射雕宝弓。"增入"屠龙剑"三字，是以"说什么"三字作实字也。《拜月亭》〔玉芙蓉〕末句："望当今圣明天子诏贤书"，本七字句，"望当今"三字系衬字。后人连衬字入句，如《千钟禄》"谁识我一瓢一笠到襄阳"，遂成十字句，此亦误也。又《琵琶记》三换头曲，原无正腔可对，前调"这其间只是我不合来长安看花"，后调"这其间只得把那壁厢且都拚舍"，以为是本腔耶，不应有此长句；以为有衬字耶，不应于衬字上着板。《浣纱》却字字效之，亦是无可奈何之法。殊不知"这其间只是我"与"这其间只得把"，原是两正句，以"我"字、"把"字叶韵。盖东嘉此曲，原以歌戈、家麻二韵同用，"他"音拖，上"我"字与调中"锁""挫""他""堕""何"五字相叶，下"把"字与调中"驾""挂"二字相叶。历查《明珠》《紫钗》《南柯》，凡此二句皆韵，皆可为《琵琶》用韵之证。故知《浣纱》之不韵殊谬也。又如散套〔越恁好〕"闹花深处"一曲，纯是衬字，无异缠令，今皆着板，至不可句读。凡此皆衬字太多之故。临川"四梦"，犯此颇多，钮少雅、叶怀庭制谱，往往改作集曲，煞费苦心。周挺斋论乐府，以不重韵，无衬字，韵险语俊为上。世间恶曲，必拖泥带水，难辨正腔，文人自寡此等病也。

（九）板眼

古乐无拍，魏晋之间，有宋纤者，善击节，始制为拍。古用九板，今五板或四板。古拍板无谱，唐明皇命黄旛绰始造为之。牛僧孺目拍板为乐句，言以拍板节词句也，故又谓之节拍。凡曲，句有长短，字有多寡，调有紧慢，一视板以为节制，故总谓之板眼。初启声即下者，为实板，亦曰头板，遇紧调随字即下，细调亦俟声出徐徐而下。字半下者为掣板，亦曰腰板。声尽而下者为截板，亦曰底板。场上前一人唱前调末一板，与后一人唱次调初一板，齐下者为合板。其板先于曲者，病曰促板。其板后于曲者，病曰滞板。古皆谓之乖拍，言不中拍也。唐《霓裳羽衣曲》，初散声无拍，至中序始有拍，今引曲无板，过曲始有板，盖其遗法。古今之腔调既变，板亦不同，于是有古板新板之说。古板者，即每曲最初相传板式也。新板者，以旧板式不合搬演，于是为之上下挪移，或加浪板是也。沈宁庵《南曲谱》，于板眼之间，一以反古为事，其中如〔薄媚曲破〕〔三十腔〕之类，皆不定板式，其郑重可知。其言谓清唱，则板之长短，任意按之，试以鼓板夹定，则锱铢可辨。又言古腔古板，必不可增损，歌之善否，正不在增损腔板。又言板必依清唱而后为可守，至于搬演，或稍损益之，究不可为法。具属名言，皆当遵守。据王伯良云：闻之先辈，有传腔递板之法，以数人暗中围坐，将旧曲每人歌一字，即以板轮流递按，令数人歌之如一声，按之如一板，稍有紧缓先后之误，辄记字以罚。如此庶不致腔调参差，即古所谓累累如贯珠者，亦无以加焉。明代嘌唱家守律之严如此。今人歌者，止知腔格之高下，板眼之紧慢，并正赠且不知，是叶广明所谓趁谱者是也。难矣哉！

（十）四十禁

余读王伯良《曲律》，有曲禁四十条。其间所列，亦有不尽律曲者。余因疏释之。学者能守其禁固佳，然为法至苛也。

重韵：古曲重韵，原无妨碍。兹首禁者，谓一字三四用之，或一曲中重见也。如《活捉》〔梁州新郎〕“枉称南国佳人”，末又云“花不醉下泉人”是也。

借韵：杂押旁韵，如支思韵中忽用齐微是也。《大成谱》凡遇用韵错误时，或书押，或书借，皆不合法也。

犯韵：谓句中字，不得与所押之韵相混。如冬犯东类。

犯声：谓不押韵处亦不可有同声字。如“故国观光”四字，是犯双声，“汪洋滉荡”四字，是犯叠韵是也。

平头：第二句第一字，不得与第一句第一字同音。

合脚：第二句末一字，不得与第一句末一字同音。

上去叠用：上去字须间用，不得用两上两去。

上去去上倒用：宜上去不得用去上，宜去上不得用上去，苟一颠倒，便易拗嗓。参观前《平仄》篇。

入声三用：叠用三入声。

一声四用：不论平上去入，不得叠用四字（〔长拍〕四上声句不在此例）。

阴阳错用：宜阴用阳字，宜阳用阴字，皆不发调。

闭口叠用：凡闭口字，只可单用。如用侵字不得又用寻字，或又用监、咸、廉、纤等字。又：用双字，如深深、恹恹、毵毵类，则不禁。

韵脚多以入代平：此类不免，但不可多用。如纯用入声韵，及用在中句者，俱不禁。

叠用双声：字母相同，如玲珑、皎洁类，止许用二字，不可连用至四五字。

叠用叠韵：二字同韵，如逍遥、灿烂类，亦止许用二字，不许连用四五字。

开闭口韵同押：凡闭口如侵寻等韵，不可与开口韵同押。

陈腐：不新采。

生造：不现成。

俚俗：不文雅。

蹇涩：不顺溜。

粗鄙：不细腻。

错乱：无次序。

蹈袭：忌用旧曲语意，若成语则不妨。

沾唇：不脱口。

拗嗓：平仄不顺。

方言：他方人不晓。

语病：声不雅。如王西楼小令〔朝天子〕“杏花为鼠啮倒”，有云毛诗中“谁道鼠无牙”，乍听如毛厕中杏花类。

请客：如咏春说夏，题柳说花类。

太文语：不当行。

太晦语：费解说。

经史语：如《西厢》“靡不有初，鲜克有终”类。

学究语：头巾气。

书生语：科举文气。

重字多：不论散套小令，重字俱须检出。

衬字多：衬至五六七字。

堆积学问：搬运类书，如《借茶》《活捉》诸曲。

错用故事。

宫调乱用。

紧慢失次。

对偶不整。

右诸禁四十条，在知音高手，自无此病。如不能尽守，须检点去其甚者，使不碍目，不然终非法家也。

至如咏物诙谐之作更难。咏物毋得骂题，却要开口便见是何物，不贵说体，只贵说用，不即不离，得其风韵，令人仿佛如灯镜传影，了然目中，却摸捉不得，方是妙手。如元人王和卿咏大蝴蝶云：“挣破庄周梦，两翅驾东风。三百座名园，一采一个空。谁道风流种，吓杀寻芳的蜜蜂。轻轻飞动，把卖花人扇过桥东。”只起首一句，便知是大蝴蝶。下文势如破竹，却无一句不是俊语。古词如咏柳〔白练序〕云“窥青眼”，开口便知是柳。下文“偏宜向朱门羽戟，画桥游舫，又倚阑凝望。消得几番，暮雨斜阳”等，皆从柳外做去，所以多韵致也。俳谐之曲，非绝颖之资，绝俊之笔，又运以绝圆之机，不易出色。着不得一太文字，又着不得一打油语，以俗为雅，一语出口，令人绝倒，乃妙。元人《秃指甲》“十指如枯笋”一首，周挺斋以为至佳，弇州亦极赏之。徐天池此体最善，如《嘲歪嘴妓》〔黄莺儿〕云：“一个海螺儿，在腮边不住吹。面前说话倒与旁人对。”又云：“抹胭脂，樱桃一点，搓过鼻梁西。”大为士林传诵，惟究非正道，偶一为之可也。

第十二章　家数

金元以来，士大夫好以俚语入诗词，酒边灯下，四字〔沁园春〕，七字〔瑞鹧鸪〕，粗豪横决，动以稼轩、龙洲自况。自董解元作《西厢》，以方言俗语杂砌成文，世多诵习。于是杂剧作者，大率以谐俗之词实之，如《天宝遗事》《王焕》《乐昌分镜》《王魁》等。今所传者，皆道路悠谬之语。故杂剧之始，仅有本色一家，无所谓辞藻缤纷，纂组缜密也。王实甫作《西厢》，始以研炼秾丽为能，此是词中异军，非曲家出色当行之作。观其《丽春堂》一剧，〔耍孩儿〕云："睁开你那驴眼可便觑着阿谁，我便更歹杀者波，是将相的苗裔。"可知元人曲，本无藻饰之功。即如《西厢》中，"鹘伶渌老不寻常"及"老的少的""村的俏的""没颠没倒"，亦非雅人口吻。是故知元人以本色见长，方可追论流别也。元人善词曲者，以大都、东平及浙中最盛。平阳亦盛，惟传作少见。其散处行省者，又皆浮沉下僚不得志之士。见李中麓《小山小令序》。而江西嘌唱，尤能变易故常，别创南北合套之格。繁声一启，词法大备。《辍耕录》所载家门，有和尚、先生、秀才、列良、禾下、大夫、卒子、良头、邦老、都子、孤下、司吏、仵作诸种，不过剧中角目分析之，无当于文字之高下。即《正音谱》所列，黄冠、江东、承安诸体，亦就剧情言之，而于作家无涉焉。大抵元剧之盛，首推大都。白实甫继解元之后，创为妍丽之言。而关汉卿以雄肆易其赤帜，所作《救风尘》《玉镜台》《谢天香》诸剧，类皆奔放滉漾，跅弛以自喜。东篱又以清俊开宗，《汉宫》《荐福》，允推大家。自是三家鼎立，矜式群英。仲文骚雅，服膺实甫，《五丈原》剧，蜚声日下，今惜不传。显之撰述，低首已斋，《临江》《酷寒》，悉经藻饰，虎贲中郎，持论太严。子章《听琴》，自谓得东篱神髓，而幽艳过之。真定一隅，作者亦富。《天籁》一集，质有其文，“秋雨梧桐”直驾“碧云黄花”之上，盖亲炙遗山謦欬，斯咳唾不同流俗也。“圯桥进履”“石州醉词”，瓣香兰谷，实近江右。他如尚仲贤《夺槊》、石君宝《戏妻》*、戴善甫“邮亭记梦”，论其高下，若分天壤矣。东平高氏，力追汉卿，毕生绝艺，雕缋梁山。文秀善记梁山事，谱黑旋风剧多至八种。上较王关，差觉才弱，享年不永，悼惜尤深，锲而不舍，可推作者。时起擅名，仅在《出塞》，《垓下别姬》即为明代练川之本，其词散佚，无可评骘，丹丘谓“雁阵惊寒”，意者植基不厚欤？仲清《伏剑》，寿卿《红梨》，风格翩翩，居然二甫也。大名宫天挺，襄陵郑光祖，

---

*底本无“石君宝”三字，当补。——校者注

平江姚守中，山东王廷秀，或以豪迈胜，或以艳冶胜，或以恬淡胜，要皆不出三家范围。至江州沈氏，作《潇湘八景》《欢喜冤家》，以南北词合成，极为工巧。参军代面，蛮子关卿，开后代传奇之先，结金元散套之局，可谓豪杰之士矣。浙中学术，夙号彬彬，填词名家，指不胜数。仁杰“西湖之梦”，金仁杰有《文姬还朝》《西湖梦》等剧，刊自建康。范康“竹叶之舟”，天祐言情，肇“眉山之秀”，仲彬写怨，吟“杜曲之诗”，人文蔚起，他方不逮焉。周文质有《春风杜韦娘》《苏武还乡》等剧。流寓中如乔梦符、曾瑞卿等又皆一时彦士，雍容坛坫，啸傲湖山，极裙屐之胜概矣。尝谓元人之词，约分三端：喜豪放者学关卿，工妍炼者宗二甫，尚轻俊者效东篱。而张小山以小令著称，不入戾家爨弄，斯又词品之高卓者也。明代作家，符采辉映，咸有可观。开国之初，若王子一十六家，半承元季余习，今读《城南柳》《误入桃源》，其词绮组纷纶，不若前元之沉着。自《琵琶》《拜月》出，而作者多喜拙素；自《香囊》《连环》出，而作者又尚辞采。自玉茗“四梦”以北词之法作南词，而偭越规矩者多；自吴江诸传以俚俗之语求合律，而打油钉铰者众。于是矫拙素之弊者用骈语，革辞采之繁者尚本色。正玉茗之律，而复工于琢词者，吴石渠、孟子塞是也；守吴江之法，而复出以都雅者，王伯良、范香令是也。夫词曲之道，夙尚本色。《香囊》以文人藻采为之，遂泛滥而有文词家一体。及《玉玦》《玉合》诸记作，益工修词，本质几掩。抑知曲以模写物情，体贴入理，所贵委曲宛转，以代说词，一涉藻缋，即蔽本来。而文人学子，积习未忘，不胜其靡，此体遂不能废，犹诗文之有六朝三唐也。今复备论之。《琵琶》尚矣。《荆》《刘》《拜》《杀》，固世所谓四大传奇也，而《白兔》《杀狗》，俚鄙腐俗，读者至不能终卷。正统间，丘文庄以元老大儒，惬志音乐，《五伦》《投笔》《举鼎》《香囊》，虽迂叟之谰言，实盛世之鼓吹，惟其时专工写实，不尚摹情。且青矜城阙，既放佚于少年；而白纻管弦，欲弥缝于晚岁。伯玉寡过，殊苦未能矣。邵氏《香囊》，独工写怨；雨舟《连环》，仅尚涂泽，非作者之极轨也。而好之者珍若璠玙，转相摹拟。郑若庸之《玉玦》，屠长卿之《昙花》，喜以骈语入科白。伯龙《浣纱》，伯起《祝发》，至通本皆作俪语，《江东白纻》有《补明珠》一折，通首亦作骈语。斯又变之极者矣。《琵琶》《拜月》，古今咸推圣手也。则诚以本色见长，而未尝不事采饰；记中《赏荷》《赏秋》亦工绮语，不尚白描，惟末后八折为后人所补。君美以浑脱著誉，而间亦伤于俚俗。君美此记为后人羼杂，殊失旧观，故魏良辅不点拍板。是以学则诚易失之腐，学君美易失之喭，画虎不成，此类是也。而献王《荆钗》，且直摩则诚之垒，出词鄙俗，亦十倍于永嘉。继之者涅川《双珠》、弇州《鸣凤》、叔回《八义》、道行《青衫》，肤浅庸劣，皆学则诚之失也。近究《绣襦》，工于调笑，中麓《断发》，不喜词华，虽追步《幽闺》，终伤粗率，反不如槎仙《蕉帕》、稊玉《红梅》，俊词翩翩，不失雅范焉。吴江诸传，独知守法，《红蕖》一记，足继高、施，其余诸作，颇伤庸率，虽持法至严，而措词殊拙。临川天才，不甘羁靮，天葩耀采，争巧天孙，而诘屈聱牙，歌者咋舌。吴江尝谓：“宁协律而词不工，读之不成句，而讴之始协，是为中之之巧。”曾为临川改易《还魂》字句之不协者，吕玉绳以致临川。临川不怿，复书玉绳曰：“彼恶知余意哉？余意所至，不妨拗折天下人嗓子。”世谓临川近狂，吴江近狷，自是持平之论。惟宁庵守法，可以学力求之；若士修辞，不可勉强企及，大匠能与人规矩，不能使人巧也。于是为两家之调人者，如梅鼎祚《玉合》《昆仑》，陆天池《怀香》《明珠》，吴石渠《情邮》《疗妒》，孟称舜《娇红》《节义》，此以临川之笔，协吴江之律也。自词隐作谱，海内向风，衣钵相承，不失矩度者，如吕勤之《烟鬟》《神女》，卜大荒《乞麾》《冬青》，王伯良《男后》《题红》，范文若《鸳鸯》《花》《梦》，吕天成字勤之，会稽人，自号郁蓝生，有《神女》《金合》《戒珠》《神镜》《三星》《双栖》《双阁》《四相》《四元》《二婬》《神剑》十一种，皆佚。皆承词隐之法。而大荒《冬青》，终帙不用上去叠字；勤之《神剑》《二婬》等记，并科段转折，亦效宁庵，其境益苦矣。此又以宁庵之律，学若士之词也。他若冯梦龙《太霞新奏》，史叔考《梦磊》《合纱》，徐复祚《红梨》《宵光》，沈孚中《绾春》《息宰》，修词协律，并臻妙境。而袁凫公奉谱严整，辞韵恬和，《西楼》一帙，即能引用谱书，以畅己意，笔端慧识，迥异诸家。《九宫谱》词，为声音滞义，借作者疏通之，皃公诚出昆山上也。郑若庸，字中伯，昆山人，有《玉玦》《大节》《五福》诸记。有明曲家，作者至多，论其家数，实不出吴江、临川、昆山三家。惟昆山一席，衣钵无传，伯龙客游，家居绝少，吴中绝艺，仅在歌伶，斯由太仓传宗，故工伎独冠一世。中秋虎阜，斗韵流芬，沿至清初，斯风未泯。世祖入关，南方作者，盛称百子，梅村、展成，咸工此技。一时坛坫，宗仰吴门，而措词亦复美善。湖上笠翁，仅供优孟衣冠而已。乾嘉以后，作者渐少，间有操翰，大抵宗法藏园，嗣徽湖上，而能洞悉正变者少矣。当明崇、弘间，皖人阮圆海，瓣香汤奉常，以尖刻为能，所作《燕子笺》《春灯谜》《牟尼盒》《双金榜》诸种，布局造事，务极诡秘，亟欲一新词场之耳目。而湖上、笠翁、红友、花农，亦以新颖之思，状物情之变，论其优劣，阳羡实远胜湖上，即就曲律言，红友尤兢兢慎守也。笠翁十五种，文词至劣，独排场角目新俊可喜。红友《拥双艳》三种而外，他不多见，布局既新，措词尤雅，清初作者莫能及也。至取订律诸家言之，自宁庵作谱，殊未尽善。伯明新谱，就正犹龙，沧桑一更，缃帙遂逸。墨憨定谱，灵昭新书，堙没不传，更可悼惜。康熙间，吴县张心其，长洲钮少雅，咸以审音博洽，驰誉词坛，而心其所作，未读一字，少雅心力，仅见《还魂》。少雅《南词谱》未刊。迨《南词定律》《九宫大成》出，而博综旧籍，汇补新腔，虽互有纯疵，不相掩蔽，自后作者，寂无闻矣。曲阜孔尚任、钱塘洪昇，先后以传奇进御，世称“南洪北孔”是也。顾《桃花》《长生》二剧，仅以文字观之，似孔胜于洪，不知排场布置，宫调分配，则昉思远出东塘之上。余尝谓《桃花扇》有佳词而无佳调，深惜云亭不谙度声，三百年来，词场不祧，独有稗畦而已。二家既出，于是词人各以征实为尚，不复为凿空之谈。所谓陋巷言怀，人人青紫，香闺寄怨，字字桑间者，此风几乎革尽。曲家中兴，断推洪、孔焉。至如马佶人，有《梅花楼》《荷花荡》《十锦塘》三种。刘晋充，有《罗衫合》《天马媒》《小桃源》三种。薛既扬，有《书生愿》《醉月缘》《战荆轲》《芦中人》等。叶稚斐，有《琥珀匙》《女开科》《开口笑》《铁冠图》等。朱良卿，有《乾坤啸》《艳云亭》《渔家乐》等三十种。丘屿雪，有《虎囊弹》《党人碑》《蜀鹃啼》等九种。之徒，虽一时传唱，遍于旗亭，而律以文辞，正如面墙而立。独李玄玉《一》《人》《永》《占》，《一捧雪》《人兽关》《永团圆》《占花魁》。直可追步奉常，且《眉山》一剧，尤非明季诸家所及，而朱素臣苼庵二十种，一时称瑜亮，李笠翁虽刻意诋排，实不足以服素臣之心也。若周坦纶《火阵》《绨袍》，《火牛阵》《绨袍赠》，为果庵最得意作。张大复《菩提》《如是》，《醉菩提》《如是观》。心其共二十三种。高晋音《风雪》《貂裘》，《风雪缘》《貂裘赚》。盛际时《双虬》《飞盖》，《双虬判》《飞龙盖》。平正无奇，止足供优孟之搬美。惟西堂乐府，陶铸古今，熟探三藏，不独前无古人，抑且后无来者。虽坦庵《转轮》，抱犊《续骚》，玉叔之《祭皋陶》，而农之《龙舟会》，持较工拙，亦难分轩轾。至若元恭《万古愁》，虽受九重殊遇，而实非词家之正则也。乾、嘉之际，首推藏园，《临川》《冬青》，《临川梦》《冬青树》，九种中之最佳者。尤推杰作。一传为黄韵珊，尚不失矩矱，再传为杨恩寿，已昧厥本来。阳湖陈烺，宣城李文瀚，等诸自桧，更无讥焉。其有拔类超群，直追金元者，如唐蜗寄之改易旧词，有《女弹词》《长生殿补阙》等。唐名英，官九江关监督。舒铁云之自制《箫谱》，不袭金元之格，独抒性情，斯又非元明诸家可束缚矣。雅雨《旗亭》，恒岩《芝龛》，一拾安史之昔尘，一志边徼之逸史，骎骎入南声之奥室。而陈厚甫《红楼》一记，好摹《紫钗》，曲律乖方，亦与相等，不知妄作，宜其取讥于后人，益信荆石山民之高雅矣。陈厚甫《红楼梦》传奇，一无足取，远不及荆石山民散套十六折。咸同以还，作者绝响，惟《梨花雪》《芙蓉碣》二记，略传述士大夫之口，顾皆拾藏园之余唾，且耳不闻吴讴，又何从是正其句律。盖当时学子，皆注意于决科射策之文，经籍史材，且置不论，遑及音乐。况光、宣间，黄冈俗剧，正遍海内，内廷宴集，大率北鄙噍杀之声，词曲之道，几几亡失矣。夫词家正轨，亦有三长：文人作词、名工制谱、伶家度声，苟失其一，即难奏弄。自文人不善讴歌，而词之合律者渐少；俗工不谙谱法，而曲之见弃者遂多。重以胡索淫哇，充盈里耳，伶人习技，率趋时尚，而度曲之道尽废。居今之世，求负此一长者，渺不可得，而况斟酌古今之宜，损益点拍之节。茫茫天壤，又孰能启予之益也？